Nicole Lalande

NOSTALGIE

ÉDITION DU CLUB QUÉBEC LOISIRS INC.

Dépôt légal — Bibliothèque nationale du Québec, 1994
ISBN 2-89430-122-7
(publié précédemment sous ISBN 2-89431-106-0)

MARTHE GAGNON-THIBAUDEAU

NOSTALGIE

À Georgette.

Chapitre 1

– Quelle charmante soirée, maman!

Jasmine se pencha vers sa fille, lui souffla à l'oreille «Ton père semble ravi». Et elle continua son évolution au milieu de ses invités, distribuant sourires et attentions.

Cette réception surprise soulignait, une fois de plus, un des succès de son mari, Pierre Laviolette. Il venait de décrocher un important contrat en pays étranger; ce soir on se réjouissait, et pour cause. La lutte avait été serrée, l'implication sérieuse, la signature de l'entente promettait une valable répercussion au niveau de l'embauche en plus d'heureuses retombées monétaires sur le plan national.

Des politiciens, d'éminents hommes d'affaires, des spécialistes du marché international, des économistes s'étaient réunis, sous l'œil inquisiteur des caméras de la télé et de quelques journalistes à la recherche de détails savoureux qui étofferaient leurs reportages dans les médias du lendemain.

Jasmine rayonnait, elle était dans son élément. Elle avait toujours admirablement secondé son mari, l'avait épaulé dans son ascension et ce, depuis les années plus modestes des débuts de sa carrière.

Issue d'une famille de bourgeois, ayant très jeune flirté avec les milieux mondains, elle avait acquis l'art de mousser avantageusement les occasions favorables et, ce soir, elle ressentait une certaine fierté de pouvoir, une fois encore, souligner le rayonnement de la carrière de son mari.

Peu à peu les invités quittaient, quelques couples dansaient sur la terrasse au son d'une musique douce qui invitait à la rêverie. D'autres, les plus intimes, s'étaient réunis au salon.

– Ce doit être agréable, Carmen, d'être la fille d'un papa si illustre.
– Oui bien sûr, quoique ça rend parfois les défis difficiles à surmonter.

Pierre sourit, tendit la main, caressa le bras de sa fille adorée. Laviolette, que l'on disait intraitable au niveau des affaires, devait son succès au travail d'équipe, à son sens de la justice et à la considération qu'il accordait à ses subalternes, aussi reconnaissait-on en lui un chef équitable à qui le succès seyait comme un gant.

En dehors des obligations exigeantes que lui imposait sa profession, Laviolette menait une vie simple et rangée. Son unique préoccupation était le bonheur des siens; il connut sa plus profonde joie le jour où son épouse lui annonça qu'il serait père; lui, Pierre Laviolette, aurait une famille bien à lui! Des enfants, il en voulait plusieurs. Ce qui expliquait sans doute cette maison spacieuse, qui en plus de ses pièces immenses comptait six chambres à coucher. Il mit à profit ses talents d'architecte et son amour des matériaux de luxe. Entourée de jardins splendides, où chacun des arbres et des nombreux bosquets recevait les soins les plus attentifs, la magnifique demeure ne passait pas inaperçue.

Et ce soir encore étaient réunis plus de cent invités dans l'enceinte de ses murs de pierre qu'il fallait franchir pour l'atteindre.

— Tu ne montes pas dormir, Pierre?
— Va, je te rejoindrai sous peu, va te reposer.
— Heureux?
— Comme un roi, et fier aussi, fier de vous deux.

Carmen s'était assise sur l'accotoir du fauteuil où son père avait pris place, elle posa son bras autour de son cou.

— Ça ne t'ennuie pas, Carmen, ces mondanités?
— Il semble, papa, que ça fasse partie de notre régime de vie depuis toujours, comment saurais-je faire la différence?
— Parfois je me sens coupable de ne pas vous consacrer plus de mon temps; tu as grandi si vite, presque à mon insu, il me semble entendre encore ton rire cristallin quand tu t'amusais à glisser sur la rampe de l'escalier.
— Au désespoir de maman qui craignait que je me brise les os.
— Et du mien.
— Toi, papa, toi, tu avais peur? Allons!

Elle s'éclata de rire.

— J'ai peur, parfois, oui, pour toi et ta mère, vous êtes ma raison de vivre.
— Et tous ces compliments, ce soir? Ça te laisse froid?
— Ah! ces compliments, tu sais... ne sont pas toujours désintéressés.
— Mais ils sont mérités, tu peux être fier. Tes

réalisations sont reconnues, soulignées, c'est magnifique.

— Avoue que ta mère s'évertue à les mettre en évidence et voilà que tu empruntes son langage!

— Je dois admettre qu'elle a des talents d'hôtesse qu'elle sait mettre à profit.

Pierre le savait, aussi s'en remettait-il à elle pour tout ce qui concernait le carnet mondain rattaché aux obligations protocolaires qui s'imposaient à l'homme éminent qu'il était devenu. Elle le faisait avec brio et son mari lui en était reconnaissant.

— Si nous allions dormir? Demain, il nous faudra quitter tôt car la randonnée sera longue.

Le couple se rendrait à Toronto où se tenait un colloque portant sur des questions scientifiques au cours duquel Pierre monterait à la tribune en tant qu'orateur.

***

Les bagages s'alignaient près de la porte, on finissait de déjeuner. Carmen parut, revêtue de son peignoir, les yeux encore bouffis par le sommeil.

On s'attarda, le temps de prendre un café ensemble, de se dire au revoir.

— Soyez prudents sur la route, jeta Carmen, répétant la recommandation qu'on ne manquait pas de lui faire quand elle s'éloignait.

Elle sortit sur la terrasse, assister à leur départ. Dès qu'ils eurent pénétré dans le garage qui était situé sur le côté de la maison, Carmen rentra, ferma la porte et se dirigea vers l'escalier, bien décidée de retourner dormir.

Elle n'avait gravi que quelques marches lorsqu'elle entendit une terrible détonation. Elle resta là, sidérée. La gouvernante accourut.

— Vous avez entendu?

Arthur, le jardinier, sortit en trombe, reparut presque aussitôt, claqua la porte et se dirigea vers le téléphone. Il bafouillait, avait peine à articuler ses mots.

Puis il s'approcha de Carmen et la prit dans ses bras.

— Oh! Mademoiselle!
— Dites-moi, qu'est-ce que c'est?
— Oh! Mademoiselle!

Carmen essayait de se défaire de l'étreinte du brave homme qui la retenait.

— N'y allez pas, attendez, attendez.
— Quoi? Qu'est-ce qui se passe? C'est papa!

Carmen se débattait, la gouvernante, épouvantée, cachait son visage dans ses mains, sûre qu'un grand malheur venait d'arriver.

Le son des sirènes qui s'approchaient fendait l'air, de plus en plus strident, les voitures de police traversaient le muret, remontaient l'allée. Arthur sortit, priant sa femme de retenir la jeune fille; tout le reste n'était que cauchemar.

La puissance de la charge, la décomposition extrêmement rapide de l'explosif, la présence du pétrole contenu dans le réservoir de l'automobile, tous ces éléments destructeurs avaient pulvérisé le véhicule, ses occupants, et avaient eu raison des murs de pierre épais et dégénéré en incendie.

Un policier entra, s'approcha de Carmen qui hurlait. Il sortit et pria un ambulancier de la transporter à l'hôpital où, sous l'effet d'un choc traumatisant, elle dut recevoir des soins.

L'hospitalisation de Carmen dura quelques jours pendant que se poursuivait l'enquête policière. Vu l'incapacité de Carmen de recevoir des visiteurs, les témoignages de sympathie affluaient de toutes parts sous forme de messages et de gerbes de fleurs.

On se perdait en conjectures, l'enquête tâtonnait; rien dans la vie active ou privée de Pierre Laviolette ou celle de sa femme n'expliquait l'ignoble attentat.

Il fut démontré, cependant, qu'il s'agissait bien d'un acte criminel; la présence de matières explosives fut prouvée et celle d'un dispositif qui était relié au démarreur de la voiture; en établissant le contact Pierre avait provoqué la détonation fulgurante.

Les médias firent état de l'horrible tragédie, à la une, alors que sous la rubrique des mondanités on mentionnait la fête joyeuse qui s'était déroulée quelques heures plus tôt au foyer des Laviolette: le hasard a parfois de ces malencontreuses coïncidences.

Pendant des semaines, Carmen connut l'angoisse qui entoura ce drame. L'enquête n'en finissait plus, la maison fut fouillée de fond en comble à la recherche d'indices. Les questions se multipliaient, éveillant des doutes, créant des malaises. Carmen, qui avait eu une enfance surprotégée, baignait maintenant en plein désarroi.

Sans être résolue, peu à peu l'affaire se tassa. Le calme suivait la tempête. Mais dans l'âme de la jeune fille, la douleur morale et un chagrin cuisant s'étaient installés à demeure; non, elle ne se consolerait pas.

Déracinée, sa grande confiance dans la vie et les êtres ne ferait plus jamais surface. Ses nuits et ses jours seraient longtemps hantés par l'incertitude, et les stigmates laissés dans son cœur menaçaient de l'ulcérer à jamais.

Lorsqu'elle revint chez elle à la suite de l'hospitalisation, elle eut le sentiment de revivre le drame à la vue des dégâts causés par l'explosion. Il fallait ne rien déranger, tant et aussi longtemps que toutes les expertises ne seraient pas complétées. Carmen se terra dans la maison, se tenant loin des fenêtres qui donnaient sur cette section de la cour.

Les plus fidèles amis de la famille se firent compréhensifs, attentifs. Elle dut cependant constater que l'on peut partager une peine sans pour autant pouvoir l'atténuer.

Le silence de l'immense demeure la surprit. Le jour déclinant projetait des ombres qui se dandinaient autour d'elle. Elle n'osa bouger, écouta, observa; jamais encore elle n'avait ressenti le sentiment d'abandon qui l'étreignait. Prise de peur, elle se leva, alluma les lumières de la maison, aux deux étages, à l'extérieur comme à l'intérieur. «Jamais je ne trouverai le courage de les éteindre!» gémit-elle.

Les questions les plus oppressantes se mirent à hanter son esprit: «Papa était bon chef d'entreprise, bon père de famille, bon citoyen, aimé de tous, d'un amour qui allait parfois jusqu'à la vénération! Pourtant, dans son entourage s'est trouvé un être qui a su le haïr, pourquoi? Pourquoi?»

Les jours passaient avec une lenteur démoralisante. Carmen rêvassait, ruminait son passé, où figurait toujours son père. Elle se remémorait ce qu'avait été sa vie auprès de ses parents, exagérant leurs vertus, ce qui alourdissait le joug de sa contrainte morale. «Mon père aima deux femmes: son épouse et sa fille. Ce roman d'amour, il fallait le discerner, le sentir à distance, le deviner à travers des regards tendres, des attentions délicates et une fidélité à toute épreuve. Nous représentions son univers et jouissions de ses largesses.

«Papa se riait tellement de nos fredaines que parfois j'avais l'impression qu'elles le réjouissaient. Mes grands-parents, des bourgeois aux convictions religieuses absolues et intransigeantes, transmirent sans doute à papa la pudeur des gestes et des mots tendres. Sur ce plan, il se montrait d'une extrême réserve. Petite, je me blottissais volontiers dans ses bras où il m'accueillait avec beaucoup de joie. Mais, l'âge de la puberté venu, une gêne se glissa entre nous et je n'osai plus lui manifester ma tendresse qu'en de très rares occasions...»

Carmen se cramponnait au passé espérant y trouver quelque réconfort, mais l'évocation de ses souvenirs, même les plus doux, ne faisait qu'aviser sa peine.

Inconsciemment elle refusait d'accepter l'épreuve, de vivre son deuil.

Aux inconvénients d'ordre judiciaire vinrent se greffer les formalités légales avec tout ce que ça comporte de désagréments.

La lecture des testaments n'en finissait plus, Carmen écoutait sans trop comprendre, gardant les yeux baissés, se tenant bravement, très droite, sans sourciller, comme son père aurait voulu qu'elle fît.

Occasionnellement elle s'attardait à un dossier, le lisait, essayait d'en saisir la portée. Mais, dès que la teneur semblait prendre un sens net et clair, une clause en changeait toute la signification. Décidément, Carmen devait l'admettre, elle ne comprendrait jamais rien au jargon administratif.

Pierre Laviolette était l'unique propriétaire de l'édifice du centre-ville occupé par les bureaux de la compagnie dont il était le président. Peu de temps avant son décès, une offre d'achat lui avait été faite par les détenteurs d'actions. Quelques mots griffonnés de sa main, en marge d'une copie du document, indiquaient clairement qu'il était satisfait de la proposition reçue, ce qui simplifiait présentement la situation car cette transaction était, de fait, la plus épineuse de toutes les décisions à prendre. Les autres relevaient de simples opérations comptables.

Les actions privilégiées de Laviolette, Moreau, Larivière & Cie, que détenait son père, furent monnayées et les fruits de la vente s'ajoutèrent à la fortune de sa fille.

Chapitre 2

Préalablement à ces douloureux événements, Carmen avait décidé de donner une certaine orientation à sa vie et ce, au grand désespoir de sa mère qui rêvait de la voir épouser un homme à l'image de son père et souhaitait par-dessus tout avoir de nombreux petits-enfants à aimer. «Ton père est garant de ta sécurité, ma fille, tu n'as pas à penser à autre chose qu'à être belle et heureuse», lui répétait-elle sans cesse.

Son père, cependant, était flatté de sa décision de choisir un métier et d'étudier en vue d'une spécialisation. Il ne manquait jamais de l'assister lorsqu'elle devint décoratrice d'édifices commerciaux. Il l'initiait à la lecture des plans et devis, l'aidait à saisir le sens des grandes surfaces à orner, à savoir arrêter le choix des couleurs favorables, des matériaux à utiliser, à juger où mettre l'accent, en tel endroit plutôt qu'en tel autre; en un mot, il étalait verbalement le fruit de son savoir, ce qui permettait à Carmen d'accumuler très vite une riche expérience et bien des connaissances, dont l'acquisition aurait exigé autrement une très longue expertise.

«Je crée, toi, tu embellis», lui disait-il, joyeux, les yeux brillants d'orgueil. Lorsque Carmen décrocha son premier contrat de travail, elle le lui apporta pour qu'il en vérifie le contenu avant d'y apposer sa signature. Ce geste l'enchanta: «La prudence, ma fille, est la reine de toutes les vertus.»

Il passait des soirées à lui expliquer les pour et les contre, insistant sur la nécessité de bien développer son esprit de décision qui est la clef des affaires bien menées... «Réfléchir, encore réfléchir, puis foncer sans crainte», soulignait l'homme averti.

Carmen se trouvait maintenant confrontée avec de moins glorieuses réalités, il lui fallait relever seule des défis de taille, faire très vite l'apprentissage de la vie et ce, sans le point d'appui, sans le support moral de son père. Elle prenait lentement conscience des obligations qui incombent à tout être humain.

Et voilà qu'au silence et à la solitude s'ajoutaient maintenant les déboires. Carmen rata quelques contrats sur lesquels elle comptait, ce qui ne manqua pas de jeter le doute dans son esprit. Était-ce possible qu'elle ait réussi à obtenir du travail dans le passé, justement à cause de l'influence dont jouissait son père dans le milieu? Elle qui mettait tant d'ardeur et de dévotion à accomplir consciencieusement et généreusement ses fonctions, elle n'en avait donc pas le mérite? Cette pensée lui fut néfaste, elle se sentit abandonnée de tous, rejetée. Carmen se mit à observer son entourage; bien sûr, on était poli, courtois, peut-être trop même, cette attitude lui semblait être de la déférence et elle ne savait pas comment réagir.

D'autre part elle n'avait jamais ressenti le besoin de cultiver des amitiés personnelles, il lui suffisait d'évoluer allègrement dans le cercle d'amis de ses parents, un monde gai, joyeux, intéressant, dont les propos sages la fascinaient.

Hortense, la fidèle femme de ménage, et son mari Arthur, le jardinier, étaient les seuls à vraiment se soucier de l'orpheline.

L'oncle, venu assister aux funérailles, s'était bien vite volatilisé sans même formuler la plus évasive des invitations, ce qui ne manqua pas de souligner à la jeune fille, une fois encore, toute l'étendue de son deuil, de sa solitude.

Un soir de profonde mélancolie, Carmen prit un livre et s'y plongea. Une phrase se détacha de la page et accapara sa pensée: l'auteur affirmait qu'une croisière était une diversion sans pareille à la suite d'une grande épreuve ou d'un deuil, insistant sur l'importance de l'évasion dans les moments pénibles.

Carmen se surprit à rêver, fascinée à l'idée de rencontrer des visages nouveaux. Elle désirait partir mais ne s'y décidait pas, remettant toujours sa décision au lendemain. Elle n'osait se l'avouer mais elle avait peur de l'inconnu. Elle était très déconcertée à l'idée de cette nouvelle vie, effrayée à la pensée d'avoir à se mêler à des étrangers, seule, sans protection, dans un univers différent, et mille objections surgissaient dans son cerveau, tant et si bien qu'elle remettait toujours son projet à plus tard.

L'automne vint, traînant son cortège de beauté, ses couchers de soleil mordorés ou vermeils, ses jours de chaleur douce et enveloppante, jamais lourde ou accablante comme celle de l'été.

Carmen se promenait sur le parterre recouvert de feuilles multicolores et traînait les pieds dans le tapis craquant, insensible à tant de charme, aux prises avec son dilemme intérieur.

Il lui fallut l'arrivée de la saison froide qui, en l'isolant davantage, la secoua de sa léthargie et lui fit reconsidérer l'idée de briser sa solitude une fois pour toutes. Elle se rendit dans une agence de voyages et organisa son départ.

Cette même semaine, elle pria Arthur de confier au maçon la tâche de sceller à jamais le garage où ses parents avaient connu une mort si cruelle.

Elle allait partir, fuir ces lieux, tout laisser derrière elle, tout oublier à travers l'évasion; en se préparant à la grande aventure, elle se mit à espérer ardemment pouvoir briser ce carcan qui l'étouffait, l'oppressait.

Carmen fit route vers Baltimore. Là elle s'embarquerait sur le paquebot à bord duquel elle voguerait avec, dans son cœur, une bouffée de rêves et d'espoir.

Le long ruban d'asphalte n'en finissait plus de se dérouler sur son passage, la campagne offrait un joli décor. La saison des récoltes finie, les champs s'étendaient à perte de vue, ressemblant à des tapis de verdure. Parfois à l'horizon se dessinaient des taches sombres laissant deviner la présence de villes plantées de gratte-ciel.

Carmen se réjouissait d'avoir pris cette décision de partir. L'avenir lui semblait plein de promesses. C'est l'âme légère qu'elle posa le pied sur la passerelle. L'atmosphère de fête qui régnait à bord, l'empressement de l'équipage et les visages réjouis des passagers charmèrent Carmen.

Elle se rendit à sa cabine, défit ses bagages avec un soin tout particulier.

Lorsque la sirène emplit l'air, annonçant que le navire quittait le port, elle se précipita vers le pont supérieur pour jouir du spectacle. Elle se sentait heureuse comme une petite fille qui se grise d'émerveillement. Elle s'appuya contre la rambarde, participant à la joie collective de tous les vacanciers. Des confettis fusaient de toute part, le grand pavois courant jusqu'au mât s'ornait de drapeaux multicolores qui claquaient dans le vent et la musique égrenait des notes joyeuses; la fête battait son plein.

Lentement le navire s'éloigna sur l'onde, toute noire par contraste, et la ville scintillante de lumières s'éloigna petit à petit; peu à peu les curieux quittaient les ponts, à la recherche d'autres émotions. Des rires et des éclats de voix parvenaient jusqu'à Carmen demeurée à son poste d'observation. Les ténèbres régnaient partout à l'exception de quelques points lumineux parsemés ici et là. Carmen sentit son cœur se serrer. La mer, doucement, battait les flancs du navire comme pour la rassurer de sa présence.

La fraîcheur de la nuit l'arracha à sa rêverie, elle s'éloigna avec regret et retourna à sa cabine. Elle se sentait très lasse et ne trouvait pas, en elle, le courage de prendre un bain de foule.

Elle s'allongea sur son lit, se laissant bercer par le mouvement de la mer, ce qui lui remémora les randonnées dans les yachts des amis de son père qui les invitaient souvent par le passé.

Une fois déjà, ils avaient même fait ensemble la traversée de l'Atlantique et étaient rentrés au pays par la voie des airs; ces souvenirs attendrissants l'émouvaient.

Ce soir, elle trouvait charmante cette cabine pourtant tellement exiguë qu'elle évoquait dans sa tête l'image d'un bébé confiné au berceau. Elle se sentait bercée par la vague, gardait les yeux rivés sur le hublot aussi noir que la profondeur de la nuit sans lune et sombra bientôt dans un sommeil profond.

***

Carmen se réveilla affamée. Une fois sous le jet de la douche, elle se surprit à chanter, ce qui la fit sourire; était-ce là la magie de l'éloignement?

Elle consulta le feuillet d'informations glissé sous sa porte: on lui avait assigné la table douze. Sa montre-bracelet lui rappela qu'on devait déjà servir le déjeuner.

Elle enfila son maillot sous une robe légère, se chaussa de mules, réunit ce dont elle avait besoin: huile solaire, lunettes fumées, cigarettes et un bon livre, afin de passer de longues heures à se laisser caresser par le soleil... ce soleil qu'elle ne verrait pas de tout le voyage sauf pendant ces heures brèves que le navire passerait ancré dans les différents ports de mer qu'elle aurait le loisir de visiter. Mais elle ne pouvait s'en douter!

La désignation des sièges que les convives devaient occuper dans la salle à manger était faite par un personnel avisé qui tentait de réunir autour de la même table des gens de même âge en vue de favoriser la camaraderie, ce qui ajoutait à l'agrément des voyageurs.

Carmen promena son regard et repéra sa place, elle s'approcha et une jeune dame qui eût pu être sa jumelle s'y trouvait déjà, attablée avec une fillette:

— Bonjour, lança Carmen.

— Ma fille, Nicole, je suis Nathalie. Bonjour, soyez la bienvenue auprès de nous.

— Il fait un temps splendide, comment peut-on faire la grasse matinée un jour aussi ensoleillé? dit Carmen en désignant les nombreuses places non occupées dans le restaurant.

— La plupart viennent sans doute de se mettre au lit, jeta ironiquement Nathalie.

— Ah! oui? et pourquoi?

— Il se trouve qu'il y a un casino à bord, on joue et on dort, mais on joue surtout, dit-elle, moqueuse.

En quittant la salle à manger, Carmen se dirigea vers le pont supérieur, désireuse de jouir des bienfaits des rayons du soleil. Il lui fallut un instant pour adapter ses pas au mouvement de la mer, oscillant légèrement dans sa marche. N'étant pas encore familiarisée avec les directions à prendre elle se retrouva à bâbord, exactement à l'endroit où se trouvait le casino. À la vue des tables de jeux elle s'arrêta, s'appuya contre le mur et ferma les yeux. Une fois de plus les souvenirs affluaient dans son esprit. Le casino! Son cœur se serra... Cette première fois, à Londres, au Golden Nugget, puis cette mémorable nuit enchantée, à Beyrouth. Son père l'y avait escortée en lui avouant qu'il préférait assister au célèbre spectacle que l'on présentait dans le grand théâtre adjacent à la salle des jeux.

Elle était alors entrée dans l'immense pièce et avait senti tous les yeux se poser sur elle: une femme, non accompagnée, dans un milieu musulman, impensable!

Elle s'était dirigée vers une table où se tenaient des étrangers, faciles à repérer grâce à leur tenue vestimentaire, qui l'accueillirent avec un sourire mal dissimulé, sans doute fort étonnés de son audace ou de son inexpérience.

Elle mettait un tel sérieux à conduire son jeu que l'on semblait oublier sa présence. Lorsque son père avait surgi, il s'était penché vers elle et, les yeux pétillants de malice, lui avait donné un bécot sur la joue.

Ce n'est que pendant leur retour vers l'hôtel *Phénécia*, alors qu'il la questionnait sur l'effet qu'avait dû produire son intrusion, non accompagnée, dans ce monde fermé, que Carmen comprenait enfin la portée du geste qu'elle avait posé.

«Un jour, ma grande, lui dit-il, tu te souviendras de cette expérience unique et elle te fera sourire.»

Là se résumait son expérience des jeux de hasard, quelques heures passées à tenter sa chance, insouciante des résultats heureux ou malheureux.

Présentement, elle ressentait une certaine satisfaction à la pensée qu'elle ferait partie d'un groupe de vacanciers qui savaient et aimaient se divertir. Elle croyait faire un pas de géant dans le monde adulte, ce qui la grisait, et certaines émotions à peine effleurées dans le passé refaisaient surface. Carmen erra de table en table, observant les joueurs qui semblaient s'en donner à cœur joie. Tous et chacun d'eux semblaient subjugués par un attrait puissant, une ardeur peu commune; elle ne connaissait pas encore l'emprise de cette passion. Mais elle enviait leur capacité de mener leur jeu de façon à la fois décontractée et confiante. Pourrait-elle un jour atteindre ce sentiment d'assurance en ses propres possibilités? Cette question s'imposait à elle, telle une hallucination.

Elle continuait d'observer ces êtres absorbés au point d'oublier leur entourage, concentrés sur un point bien précis qui formait leur univers présent: les cartes qui s'étalaient là et la magie de leurs combinaisons. Ils n'avaient d'yeux que pour la donne et l'addition des cartes. Seuls, ils étaient quand même solidaires.

Parfois éclataient une exclamation, un rire spontané, un ouf! de soulagement, un geste impatient voire même rageur, mais toutes ces manifestations, bien que compulsives, étaient vites freinées par les exigences du rouage du jeu. Ce jeu a le don de savoir se cramponner à l'esprit de celui qui souscrit à son emprise: à la déconvenue d'un instant suit un espoir miroitant.

Une telle complétude fit envie à Carmen; son désir de se joindre à eux, de tenter sa chance au tapis vert se fit de plus en plus pressant.

Dès qu'un siège se libéra, Carmen prit place à table, toute résolue qu'elle était de contrôler son jeu, de s'en faire un allié, une force. Pour la première fois depuis si longtemps, elle participait à un jeu de société, s'unissait à d'autres pour se récréer, ce qui l'enchantait. Les heures filaient comme par magie, sa solitude demeurait, mais elle la vivait en bonne compagnie et n'en ressentait plus l'amertume.

Sa vie, de morne qu'elle avait été pendant si longtemps, prenait une toute autre tournure; Carmen ressentait une grande joie intérieure d'avoir réussi à surmonter l'insécurité qu'avait suscitée en elle l'idée d'avoir à affronter seule tout un monde d'inconnus. C'est timidement, mais avec bonheur qu'elle rendait sourire pour sourire, salutation pour salutation. Cependant, son attitude timorée, due à son mode de vie habituel, empêcha la naissance de relations plus personnelles, plus intimes. Carmen évoluait au milieu du groupe dans l'anonymat le plus total et ce, sans en être consciente.

Carmen était envoûtée, même si elle jouait perdante; elle persistait à attribuer tant d'infortune à son inexpérience, cherchait à établir certains points de contrôle qui lui permettraient de circonscrire ses échecs qui, le croyait-elle, étaient circonstanciels.

Sa volonté de mater son infortune lui faisait négliger toutes les autres considérations, elle sombrait de plus en plus dans l'engrenage, allait jusqu'à oublier que jouer l'exposait à subir de lourdes pertes.

De ce jour, elle ne connut plus la paix: le casino l'accapara tout entière. Elle y passait même les heures normalement consacrées aux repas, se faisait servir le petit déjeuner à sa cabine, grignotait au buffet de minuit, avalait en vitesse des friandises à l'heure du thé, ne rentrait qu'aux petites heures du matin, dormait peu, oubliait toute coquetterie, n'assistait à aucune soirée dansante ou réunion sociale, allait même jusqu'à perdre tout souci d'élégance. Son miroir lui renvoyait l'image d'une fille nerveuse, aux traits tirés et mal coiffée.

La situation allait s'aggravant, la somme d'argent qu'elle avait apportée fondait à vue d'œil. Carmen prit arrangement avec le contrôleur du bord et par le truchement du télégraphe obtint de son gérant de banque un montant d'argent représentant une somme assez rondelette. Elle avait craint un instant d'avoir à laisser tomber le jeu, mais ses appréhensions fondirent lorsqu'elle reçut une réponse positive; il lui sembla alors que le pouvoir de l'argent n'avait pas de frontière.

Au casino, l'enthousiasme des premiers jours diminuait peu à peu, seuls les joueurs invétérés occupaient maintenant les places. L'ardeur et la désinvolture des amateurs du début n'étaient plus; de ce fait, l'atmosphère était moins gaie, mais Carmen n'en était pas consciente. Ceux qui se croisaient là étaient imbus de la passion grisante du jeu de hasard. Les autres, désenchantés, avaient fui l'enceinte.

Un soir, Carmen sentit naître au fond d'elle-même une grande appréhension, elle perdait de plus en plus malgré tous ses efforts de concentration pour varier ses façons de miser ou de diriger son jeu. Quitter maintenant, ne serait-ce pas agir par défaitisme? La loi de la moyenne ne veut-elle pas que la veine succède tôt ou tard à la défaite? Abandonner signifierait qu'elle acceptait ses pertes et laissait tomber ses chances de récupération après cette série de revers. Sa nature tenace entrait en confrontation avec sa logique habituelle.

Demain le navire ferait halte dans l'île de Porto-Rico, le casino serait donc fermé tant que le navire ne serait pas sorti des eaux territoriales. Elle pensa rester à bord et dormir. Mais la croisière était de courte durée, ne valait-il pas mieux en profiter au maximum quitte à se reposer à la maison, au retour?

Elle jeta les jeux sur le bulletin des activités du jour et décida de faire l'achat d'un billet qui lui permettrait de visiter l'île qu'on disait enchantée. Là, elle aurait l'occasion de mieux examiner les fortifications, l'arrière-pays, de chic boutiques, d'assister à un spectacle de flamenco dansé par le célèbre couple espagnol Carmen et Antonio Gonzáles.

Elle s'endormit et rêva de black-jack. Au réveil,

l'immobilité du paquebot la surprit. Elle descendit la passerelle, émerveillée par la chaleur envahissante. Depuis Baltimore elle se prélassait à l'intérieur dans des endroits rafraîchis par des climatiseurs: l'air chaud et humide l'embarrassa; ses pas hésitants la firent sourire, avait-elle donc acquis si vite le pied marin?

Carmen faillit trébucher, un passager s'empressa de lui tendre la main.

— Merci, dit-elle gentiment. J'ai, semble-t-il, perdu l'habitude de marcher sur la terre ferme.

— C'est une réaction normale, cela se passera vite. Comment s'est terminée cette soirée d'hier?

Carmen comprit qu'il faisait allusion au jeu de la veille; on finit par reconnaître les visages que l'on revoit souvent. Le galant personnage était un fervent du tapis vert. Carmen ignora la question.

— Il fait un temps magnifique, se contenta-t-elle de répondre.

— Ma femme et moi avons décidé d'aller tenter notre chance dans un casino local, aimeriez-vous nous accompagner?

Carmen hésita un instant. Au fond de son sac, se trouvait le billet lui permettant d'assister au fameux spectacle et au voyage organisé dans l'île.

— Le navire mouillera dans les eaux du port jusqu'à une heure tardive...

Et Carmen succomba à la tentation. Elle se retrouva au milieu d'un nombre impressionnant de fervents du jeu. La dimension et l'élégance des lieux la charmèrent. Les mots *No va más* traduisaient le «rien ne va plus» si souvent entendu. Hélas! une fois de plus, madame chance n'était pas au rendez-vous.

Les passagers qui avaient choisi de se rendre au casino furent les derniers à regagner le navire dont les sirènes annonçaient le départ prochain. Carmen resta appuyée au bastingage et regarda s'estomper San Juan dans la nuit, mais, ce soir, son état d'âme différait, elle ne ressentait pas la griserie et l'enchantement qui la transportaient de joie et d'espoir, lorsque le navire quitta le port de Baltimore. Les lumières de la capitale furent bientôt remplacées par des points brillants qui scintillaient au loin. La voûte étoilée se livrait dans toute sa splendeur, sautillant à la fois là-haut et sur les flots où elle se mirait, sur une mer étale que seul le sillon du navire troublait.

Mais Carmen n'avait pas le cœur à la rêverie, elle ne se laissait pas émouvoir par tant de beauté, se torturait à la pensée de ses nouveaux échecs et s'accrochait à ses déceptions présentes. Elle restait là, immobile, cherchant à comprendre. Pourquoi la malchance s'acharnait-elle à la poursuivre? Pourquoi? Il lui manquait la maturité nécessaire pour faire la part des choses.

Le bateau prit la route du retour, son nez piquait franc nord. Les vacanciers s'alignaient sur les ponts afin de profiter du soleil qui basanait sans lésiner les corps exposés. Les bars et les pistes de danse bien achalandés favorisaient les liaisons amicales. On s'amusait ferme, on vivait un vrai rêve d'évasion, de repos, de détente complète, de gâteries innombrables, on visitait des horizons nouveaux sous un climat cajoleur, perdu entre le ciel et la mer, une joyeuse odyssée fort prisée de tous.

Carmen échappait à cette euphorie. Elle n'avait de pensée que pour les sensations fortes que lui donnaient le jeu et le regret de voir se terminer la croisière.

Aussi passait-elle le maximum de temps rivée à ce tabouret étroit et inconfortable, coincée contre l'épaule de ses voisins: elle s'entêtait à mater le destin. Ses yeux couraient avec les cartes distribuées, tournées et retournées, cachées et ouvertes, mêlées, brassées, battues, coupées et recoupées, vite, toujours plus vite, inlassablement: bonnes, mauvaises, hostiles, traînant avec elles leur mystère jamais résolu. Les cartes allaient, venaient, sans cesse variées, elles volaient, imprévisibles, jamais les mêmes, toujours déconcertantes.

Un caissier s'attardait à la table un instant pour y recueillir les fruits de la banque, la relève du croupier se faisait, les heures passaient. Carmen restait accrochée à ce jeu qui envoûte, grise, prend aux tripes.

Parfois, avant de s'endormir, elle tentait d'approfondir la marche et l'évolution du jeu. Elle avait observé les cartes, tout lui semblait pourtant fort normal. Alors pourquoi perdait-elle inlassablement? Tant de déveine lui semblait impossible! Le calcul des probabilités ne s'appliquait donc pas à son jeu? Parfois elle avait l'impression que le meneur du jeu parlait au diable.

Et elle s'endormait, épuisée, sans pouvoir résoudre l'énigme. La hantise était si forte qu'un jour elle se surprit, immobile sous la douche, tentant de chercher des combinaisons différentes, une méthode meilleure qui l'aiderait à jouer gagnante.

Lorsque sa mise se doublait, que la chance la favorisait, Carmen ressentait un sentiment qu'elle ne parvenait pas à définir, mais son insatisfaction persistait.

La fin de la croisière était imminente, Carmen souhaitait qu'elle se poursuivît jusque dans les mers du Nord. Brisée de fatigue, elle ferma un instant les yeux, sa nuque endolorie la faisait souffrir. Elle écoutait le clic-clic grisant des cartes que l'on brassait lorsqu'elle entendit le chef croupier prévenir les joueurs que «ce sabot serait le dernier.»

Les joueurs se tassèrent sur leur siège, un dernier espoir leur était permis. «Faites vos jeux, Messieurs Dames; les jeux sont faits, rien ne va plus!» Le clic-clic reprit de plus belle, on distribuait les cartes. Piètre réconfort: Carmen doubla la somme de son dernier enjeu.

Elle quitta la table, sourit au banquier en lui offrant les quelques jetons qui lui restaient en guise de pourboire, accompagnant son geste d'un pâle sourire. L'homme remercia d'un signe de la tête. Carmen s'éloigna à la fois penaude et malheureuse.

Le silence qui régnait lorsqu'elle longea les longs et étroits corridors qui menaient à sa cabine la laissa songeuse. Tous semblaient s'être retirés très tôt. Elle ferma la porte, laissa tomber ses souliers. Le miroir à pied qui lui faisait face lui renvoya l'image d'une femme lasse, très lasse; elle s'y attarda, ce qui fit naître en elle une grande tristesse. Mille fois elle avait eu le désir de se faire violence, de s'éloigner du jeu, de se joindre à ces gens enjoués qui s'amusaient ferme, ce qui était son objectif premier lorsqu'elle avait décidé de faire ce voyage.

Elle sortit ses valises et commença à ranger ses vêtements. «J'ai une fois de plus vécu en ermite, je me suis laissée subjuguer par les événements, dominer par la vie, j'ai négligé de lui donner une orientation qui m'aurait aidée à m'affirmer. Je me suis complu à jouer et j'ai consacré le peu de temps qu'il me restait à dormir!»

«Je me suis complu à jouer»... Ces mots s'accrochèrent à sa pensée, éveillant en elle un vague sentiment d'inquiétude. «Non, pas moi, ce n'était qu'occasionnel, je ne suis pas une passionnée des jeux de hasard! J'ai trop de sens pratique pour ça! Pourquoi ai-je mis tant d'acharnement à perdre de l'argent? Ah! et puis après, j'avais besoin de distraction, celle-là en vaut bien d'autres... une fois n'est pas coutume.»

Et ses pensées allaient de l'excuse aux bonnes résolutions. Le vif combat qu'elle soutenait avec elle-même lui laissait prévoir que la lutte n'était pas gagnée. Elle frémit à l'idée que d'autres occasions de jouer pourraient se présenter et s'inquiétait de la faiblesse de sa volonté. «Et si j'allais devenir une joueuse pathologique? Compulsive! Je dois fuir la moindre occasion!»

La femme de chambre tira Carmen de ses réflexions; le navire était amarré au port, la salle à manger fermée; déjà on se préparait à accueillir d'autres touristes à bord.

Carmen goûtait à l'immense solitude qui se fait autour de soi quand on rompt brusquement avec un lieu donné, un environnement très vivant: la rupture que causent les départs. Elle avait senti ce vide chaque fois qu'elle sortait d'une salle de cinéma et qu'il lui fallait réintégrer en silence son domicile: espèce de brusque retour à la réalité.

Elle traversa la passerelle et reconnut au loin parmi

ceux qui s'éloignaient Nathalie et Nicole, ses compagnes du premier jour; son cœur se serra... On échangeait des poignées de mains, on se faisait l'accolade, mais elle, Carmen, ne s'était pas liée d'amitié avec qui que ce soit. Dans toute cette foule ne se trouvait aucun visage ami à qui elle aurait pu faire des adieux. «Moi, comme tous les passionnés du jeu, je ne suis pas retournée m'attabler à la salle à manger...»

C'est le cœur triste qu'elle prit le chemin du retour, elle ne parvenait pas à définir le pourquoi de cette grande lassitude morale. Elle gardait les mains crispées sur le volant et faisait de grands efforts pour se concentrer. Elle ressentait une grande fatigue. Un mal de tête lancinant mais tenace eut raison de son acharnement: elle s'arrêterait au premier hôtel.

— La salle à manger est ouverte, lui souligne le préposé à la réception.

«Voilà, pensa-t-elle, la raison de mes malaises, je n'ai pas mangé depuis plus de quinze heures!» Après s'être restaurée, elle se mit au lit.

Quoique très lasse, elle ne parvenait pas à s'endormir. «Je me morfonds en vains regrets!»

Pas un instant Carmen n'osa s'avouer que son amour des cartes la subjuguait, que là, au fond de son inconscient, avait germé un amour féroce pour les jeux de hasard. Les clic-clic des cartes, l'attente de celle qui serait favorable, l'enchantement devant la réussite d'une bonne passe, l'espoir ou le désespoir qui s'empare du joueur et lui fait oublier le reste du monde, le souvenir de toutes ces heures lui revenait en mémoire et ne cessait de la hanter, de la griser.

Rentrée chez elle, elle trouva la maison immensément grande, les plafonds très hauts. Elle se souvenait de l'effet contraire lorsque, plus jeune, au retour d'un séjour dans un internat, la maison alors lui semblait très petite, comparativement à l'immensité du couvent qu'elle venait de quitter.

Au moment de déballer ses valises, son attention fut attirée par l'usure anormale de ses souliers de cuir verni: le flanc intérieur était égratigné, éraflé: «Les éraflures proviennent sûrement des gestes nerveux que je faisais en me frottant les pieds l'un contre l'autre. Étais-je à ce point tendue, crispée?» pensa-t-elle tristement.

Ce n'est que tard dans la soirée que Carmen fit le bilan de ses dépenses. Sans tenir compte des frais inhérents au voyage, elle avait flambé la jolie somme de douze mille dollars. Elle calcula mentalement le taux de change du dollar canadien en dollar américain, ce qui ajoutait encore à sa perte et elle se sentit coupable d'avoir fait pareille folie.

«Bah! et puis zut! cet argent est fait pour être dépensé, il m'a permis de vivre de belles heures, il faut bien s'amuser occasionnellement!»

Elle s'efforçait de chasser de son esprit toutes les pensées culpabilisantes qui l'assaillaient, refusait de réfléchir sur le problème et tentait de se convaincre que tout au plus elle avait exagéré. Le jeu de hasard n'était pas, selon elle, une calamité insurmontable. Sa conscience, toutefois, ne cessait de la harceler.

Peu à peu la vie reprit son cours normal. Carmen se rendait assidûment au travail, mais sans grande ambition.

Chapitre 3

La fin du jour était superbe, Carmen se baladait au volant de sa Mercédes, suivait machinalement le trafic, ce qui la mena au champ de courses Blue Bonnets. «Et pourquoi pas?» pensa-t-elle. Elle stationna sa voiture et se dirigea vers l'entrée, sa curiosité soudainement éveillée.

Du haut des gradins, un spectateur repéra Carmen dans la lentille de sa longue-vue: la jeune femme, bien mise, à la démarche fière, au visage mélancolique, retint son attention. Il la regarda déambuler, indécise elle promenait son regard sur les lieux, ne sachant trop quelle direction prendre. Elle se dirigea vers le Club House et s'attarda à observer le défilé des chevaux qui se pavanaient sous les yeux des spectateurs en exhibant leurs muscles puissants, leur croupe rebondie, leur tête altière; les bêtes semblaient goûter les mains affectueuses des meneurs qui les caressaient.

Une grande agitation régnait, plusieurs spectateurs avaient le nez plongé dans leur programme, faisaient de savants calculs, émettaient mille hypothèses, argumentaient puis disparaissaient le temps d'aller miser sur l'animal de leur choix, enfin réintégraient leur place. Tous les yeux convergeaient maintenant vers la piste de course et les précieux animaux desquels on espérait tant. Les gageurs devenaient sages comme des enfants à qui on aurait promis une récompense. Suivit un instant de silence impressionnant: seule une voix familière emplit l'air, commentant dans la langue de Shakespeare et celle de Molière l'évolution de la course.

«Fascinant, pensa Carmen, mais sans comparaison avec ce que je ressens au casino.»

L'assistance était maintenant debout, on interpellait les chevaux par leur nom pour les stimuler, on se serait cru dans une kermesse un jour de grande fête.

Un tableau s'illuminait, le chroniqueur sportif s'égosillait: «Les voici, les voilà.» Il y eut un mouvement dans la foule, certains se précipitaient pour encaisser leur gain tandis qu'une pluie de billets perdants couvrit bientôt le sol.

Un autre groupe de chevaux paradait maintenant et l'un deux, portant le numéro sept, plut d'emblée à Carmen. Une beauté, cette jument à tête haute, aux oreilles fines; sa robe, patiemment pansée par la main amoureuse qui tenait l'étrille, brillait, noire comme du charbon. Sur la fesse de l'animal, une tache de poils blancs faisait contraste, manquement à l'esthétique peut-être, mais qui rendait l'animal facile à repérer pendant la course. Le trotteur, la queue en panache, les jambes longues et fines, la crinière lustrée, un tantinet nerveux, prêt à s'élancer, trépignait, ruait dans les brancards; le jockey se penchait et commandait à l'animal qui ne semblait pas très docile. Un instant, Carmen eut l'idée de miser sur son favori puis se trouva ridicule.

La course allait commencer, Carmen n'avait d'yeux que pour le numéro sept qui traînait maintenant à plusieurs longueurs derrière les autres participants. Elle s'était levée et maugréait contre ceux qui l'empêchaient de voir le déroulement de la course, et voilà que l'animal de son choix gagnait du terrain, plus, encore plus, nez à nez pendant d'interminables secondes pour enfin se classer bon premier. Le tableau indicateur entérina la victoire du numéro sept. Aurait-elle misé sur la bête qu'elle n'aurait pas ressenti plus grande joie!

— Inutile de vous demander si vous avez misé juste, Mademoiselle, vous en avez de la veine, ce cheval n'était pourtant pas prometteur, il rapportera bien.
— Mais je n'ai pas misé! s'exclama Carmen.
— Vous n'avez pas placé d'enjeu sur ce cheval, sérieusement? J'aurais pourtant juré, à votre entrain, que le sept était votre favori.
— Mon favori, oui, mais je n'ai pas misé, je ne m'y connais pas en courses de chevaux.
— Tant pis, vous avez perdu une bonne occasion!
— C'est tout à fait par hasard que je suis ici.

L'homme sourit, tendit la main à Carmen.

— Vous n'aurez pas tout perdu, allons là-haut, de là nous observerons le reste des courses au programme en sirotant un café.

Carmen hésita un instant puis accepta l'invitation de l'entreprenant jeune homme. De cet endroit, la vue sur la piste sous un éclairage vif était magnifique.

Toutefois, pendant le reste de la soirée il ne fut plus question de courses ni de chevaux. De temps à autre, Paul jetait un œil distrait sur les tableaux lumineux où figuraient les résultats et les bonis mais s'abstenait de tout commentaire; son attention se concentrait sur sa compagne.

— Vous portez un jonc à l'auriculaire, seriez-vous ingénieur?

— Non, je porte ce jonc en souvenir de mon père décédé à qui il appartenait, avoua Paul, les yeux pudiquement baissés.

Carmen allait s'excuser mais il ne lui en laissa pas le temps et enchaîna:

— Vous savez, Carmen, d'où provient le matériau utilisé pour en faire la confection?
— Je vous avoue mon ignorance.
— D'une section du premier pont de Québec qui s'est effondré dans le fleuve Saint-Laurent lors de sa construction, ce qui avait coûté plusieurs vies humaines. On utilise justement ce matériau pour remémorer aux fils de la profession tout le sérieux et le sens de la responsabilité qui s'y rattache.
— Selon vous, s'agit-il là d'une légende?
— On m'assure que la tradition demeure.
— Charmante anecdote, en tout cas.

Paul sourit, ravi de l'effet produit. La soirée s'écoula douce, Carmen goûtait enfin au plaisir d'une agréable compagnie.

La foule se dispersait, les arrachant à leur tête-à-tête.

— Je vous reconduis chez vous? hasarde Paul.
— Non, merci, j'ai ma voiture, quelque part par là.
— Permettez-moi de vous y accompagner.

Carmen se contenta d'un sourire approbateur. Paul lui tendit la main pendant la descente du large escalier, le trafic reprenait de plus belle. Ils flânèrent et c'est près de la Mercédes que Paul exprima le désir de revoir Carmen.

– Je dois m'absenter dans quelques jours, mais demain soir je serai libre, est-ce présomptueux de ma part d'espérer...

Il laissa sa phrase en suspens, prit un air attendri et ajouta:

– Allons dîner ensemble, histoire de nous mieux connaître...

Carmen accepta le rendez-vous et déclina ses coordonnées. Ils se séparèrent sur une amicale poignée de mains.

Carmen entra chez elle fort réjouie. Elle ne ressentait pas le désir de faire le jeu de patience avant de s'endormir, manie qu'elle avait développée à son retour de croisière; le jeu anodin qu'elle pratiquait autrefois sans malice était devenu un palliatif à sa nostalgie du jeu. Le simple fait de manier les cartes lui donnait des sensations fortes. À ce plaisir s'ajouta bientôt la marotte du calcul des probabilités. Elle tenait un bilan des réussites et des échecs. Pas un instant il ne lui était venu à l'idée qu'elle manquait de conséquence avec elle-même. Ce soir ses pensées étaient tout autres, elle rêva, les yeux ouverts, heureuse de cette rencontre qui mettait du soleil dans sa vie. Demain viendrait un visiteur, le premier depuis le départ de ses parents. Et si elle faisait les choses en grand, en véritable maîtresse de maison, art où excellait sa mère? Oui, elle inviterait Paul à dîner.

Elle se leva tôt et se rendit à la cuisine.

– Hortense, soyez gentille, préparez un dîner pour deux; ce soir, j'aurai de la compagnie.

— Ah! avec joie, madame Carmen. Comptez sur moi, lança gaiement Hortense qui s'empressa de tout mettre en œuvre pour combler cette jeune femme qui demandait si peu. Elle sortit la nappe de dentelle, fit briller l'argenterie à l'aide de la peau de chamois et pria Arthur d'orner la maison des plus belles fleurs de la serre.

Pimpante et joyeuse, le cœur léger comme une petite fille, Carmen accueillit Paul de son plus beau sourire et l'incita à annuler les réservations qu'il n'avait sûrement pas négligé de faire au restaurant. Paul se dit touché de la délicate attention et se dirigea vers le téléphone. Il laissait discrètement errer son regard dans toutes les directions, charmé à la vue de tout ce qui captait son regard avide. Carmen aurait été horrifiée si elle avait soupçonné l'affreuse vérité, en ce qui avait trait aux intentions de son chevalier.

Paul s'était un instant perdu dans Outremont; dès qu'il eut repéré la maison qu'habitait sa nouvelle conquête, il l'avait contournée à quelques reprises, histoire de bien l'évaluer. Il ne s'était pas trompé, Carmen Laviolette était une proie de luxe, auprès de qui il fallait s'attarder, qu'il valait la peine de conquérir.

Paul sut mettre à profit ses connaissances de la grande musique, doser les compliments flatteurs, sans exagérer ni dans un sens ni dans l'autre, en parfait gentilhomme, respectueux de la femme.

Suivirent des rendez-vous, des dîners en tête-à-tête, une amitié qui se resserrait toujours davantage. Un jour Paul balbutia du bout des lèvres un engagement qui ressemblait à une prière que l'on adresse au soleil un matin de pique-nique: je t'en prie, soleil, montre-toi! «Carmen, avait-il dit, vous et moi vivrons un grand amour!»

Confortablement plongée dans un bonheur que la jeune fille croyait naïvement prometteur, Carmen se laissa bercer par la joie enveloppante qui la grisait. Son compagnon lui semblait en tout point parfait. Elle aimait son allure à la fois désinvolte et réservée. N'était-ce pas là une des qualités de son père adoré?

Paul, à n'en pas douter, avait l'habitude du grand monde. De façon évasive, mais non moins précise, il meublait la conversation d'évocations détaillées concernant certains membres éminents de sa famille qui, malheureusement, habitaient au loin, dont cet oncle député, cet autre, homme de robe, ce cousin haut financier. Il évoquait les noms de ces illustres personnages, sans raison précise, en citant une anecdote. À travers ce stratagème il réussissait à créer un climat de confiance.

Son expérience de la femme lui avait vite fait comprendre que sa présente conquête était d'une grande délicatesse et d'une pureté à toute épreuve, ce qui le déroutait et le dérangeait. Eût-elle été une femme facile, cela aurait simplifié la situation, aidé à favoriser l'idylle. Paul savait se montrer galant tout en faisant preuve de retenue.

Malgré lui cependant Paul s'éprenait de la jeune fille simple et joyeuse qui savait l'émouvoir, elle incarnait les charmes de la candeur, de la droiture de l'âme. Les heures passées en sa compagnie coulaient, empreintes d'une grande douceur. Aussi veillait-il de façon toute particulière à préserver cette relation bien spéciale.

Carmen, compréhensive, pardonnait à Paul ses absences répétées. Aussi, les fins de semaine lui paraissaient très longues car il n'était jamais présent.

Un jour, bien innocemment, elle exprima une pensée: ce cheval, le numéro sept au programme, le jour de leur rencontre, avait-il connu un autre succès? Paul s'exclama, horrifié:

— Mais, ma chère, je ne suis pas un habitué des hippodromes, je n'y suis jamais retourné. Comment le saurais-je?

Le ton offusqué de la riposte surprit Carmen. L'homme semblait réellement vexé. Elle s'excusa, l'assura qu'elle n'avait évoqué l'idée à cause, justement, du bon souvenir qu'elle avait gardé de cette agréable première soirée passée ensemble.

Paul se calma et l'incident fut oublié. Les dîners en tête-à-tête continuaient de favoriser leur rapprochement. Hortense prenait un plaisir fou à varier le menu, ravie de retrouver sa Carmen des beaux jours d'antan.

Un soir Paul se présenta au rendez-vous habituel. Carmen expliqua l'absence de la brave Hortense et exprima le désir d'aller manger à l'extérieur. Cette fois Paul laissa percer un mouvement d'impatience très vite réprimé mais qui n'échappa pas à Carmen. Lorsque vint le moment de régler la note, son compagnon dut avouer avoir oublié son portefeuille dans un autre veston.

— Ne vous faites pas de soucis pour si peu, je vais utiliser ma carte de crédit, ça simplifie la comptabilité...

Mais Paul ne revint pas sur le sujet, ni ce soir-là ni la semaine qui suivit. Ce qui éveilla chez Carmen, tout au fond d'elle-même, une certaine inquiétude qu'elle n'osait s'avouer. La compagnie de cet homme la charmait, sa présence dans sa vie répondait à un besoin profond qu'elle refusait d'analyser. Il avait su pallier à sa solitude, lui donner l'occasion de rire. Auprès de lui elle se sentait forte et sécurisée, en un mot elle s'oubliait, se reposait entièrement sur lui. Rien ne lui faisait plus plaisir que ses appels quand il se trouvait au loin, qu'il lui tenait des propos anodins qui l'amusaient beaucoup. Aussi Carmen se faisait un point d'honneur à être là quand le téléphone sonnait. Pour Paul, elle n'était que complaisance.

Ce soir il était absent, il avait dû quitter Montréal vers la fin de l'après-midi et faisait présentement route vers le Nouveau-Brunswick.

La température était clémente, sans doute la dernière belle soirée avant les froids de l'hiver. Carmen regrettait l'absence de Paul. Elle décida d'aller se balader. Puis l'idée folle de se rendre à Blue Bonnets lui traversa l'esprit. Elle sourit à la pensée de la tête que ferait Paul lorsqu'elle lui annoncerait cette folie. «Si je reconnais mon beau cheval parmi les participants aux courses, je miserai sur lui.» Et Carmen, joyeuse, se mêla à la foule des arrivants.

Sa joie fut de courte durée. Elle remarqua parmi les spectateurs un personnage qui ressemblait étrangement à son amoureux: grandeur, allure, prestance. Curieuse, elle se faufila de manière à examiner de près ce sosie. Mais elle dut se rendre à l'évidence: nul autre que Paul était là, accompagné de quelques personnes avec qui il discutait avec véhémence.

Carmen crut que son cœur s'arrêterait de battre. Elle recula de quelques pas, s'appuya contre le dossier d'une chaise, ferma les yeux, espérant que le mirage s'estomperait. Mais, lorsqu'elle les rouvrit, Paul se trouvait encore dans son champ de vision. Carmen s'éloigna, la mort dans l'âme.

Tous ces mois d'un grand bonheur se métamorphosaient et prenaient maintenant la forme d'un terrible désespoir. Elle regrettait jusqu'à ce geste qui l'avait conduite ici et fait découvrir la pénible vérité: Paul mentait!

Ainsi ces fins de semaine qu'elle avait dû vivre esseulée cachaient un secret. La peur d'en savoir davantage l'effrayait. Mais, osait-elle espérer, s'il y avait une explication à tout ceci?

Elle rentra chez elle; assise devant l'appareil téléphonique, elle se prit à espérer. Mais l'appel tant désiré ne vint pas.

Les jours qui suivirent lui parurent interminables. Elle allait de l'angoisse au désespoir, puis de l'espérance au rêve fou. Carmen formula dans sa tête mille façons d'obliger Paul à se confesser, à avouer ou à lui exposer sa version des faits.

Elle ne voulait pas croire qu'il l'avait trompée délibérément. Aussi lui donnerait-elle l'occasion de s'expliquer.

Elle attendait son retour le cœur plein d'espoir. Peut-être avait-il dû remettre son départ à plus tard pour des raisons incontrôlables?

Elle se remémorait leur dernière conversation; sans doute, il expliquerait ce contretemps qui l'avait retenu à Montréal. Mais, alors, pourquoi n'avait-il pas téléphoné? Ne serait-ce que par amitié, pour faire un brin de jasette. Était-ce la première fois qu'il lui mentait? S'il mentait! Et Carmen se reprenait à s'inquiéter.

Parfois certains détails lui revenaient à l'esprit; des banalités, mais qui n'avaient pas manqué de la bouleverser, puis elle oubliait tout dès qu'il lui revenait.

Un soir, au moment de la quitter, il s'était fait plus tendre, avait parlé d'un futur possible... d'une union durable. Carmen s'était exclamée en riant: «Mais Paul, nous nous connaissons à peine!» Il n'avait pas insisté, mais dès qu'il fut parti, Carmen se prit à rêver. Oui, il lui plaisait.

Ce soir tout lui apparaissait sous un autre angle: quelque chose de malsain, de difficile à cerner, d'impossible à définir, des simples accrochages, des silences inexplicables, des petits riens qui inquiètent un bref instant, puis s'estompent... Et ces absences, jamais longues mais répétées...

Non, ça ne pouvait durer ainsi. Elle voulait savoir. Il lui répugnait de brûler les étapes mais il valait mieux connaître toute la vérité, dut-elle souffrir à cause de ce qu'elle avait peur d'entendre.

Elle retournait le problème sous tous ses angles, cherchant à comprendre. Jamais encore il ne l'avait présentée à un ami, à une connaissance; ce détail la frappait pour la première fois. Paul acceptait avec une joie apparente ses invitations qu'il ne rendait jamais.

Et ce soir-là, où elle avait volontiers payé la note du dîner, avait-il vraiment oublié l'incident? L'orgueil peut-être l'avait empêché de revenir sur le sujet? Oh oui! Carmen cherchait à comprendre Paul, à l'excuser.

Une autre longue journée se passa. Alors Carmen posa un geste qu'elle n'avait encore osé se permettre même si elle en eut souvent le désir. Elle lui téléphona mais l'appel resta sans réponse. Ainsi il était bel et bien absent.

Il était huit heures; Carmen, assise devant la télévision, regardait défiler des images qu'elle ne voyait pas. Le carillon de la porte d'entrée se fit entendre. Elle sursauta. Ce ne pouvait être que Paul. Sa première réaction fut la joie, une grande joie.

Il était là, tout sourire.

— Pour toi, jolie princesse!

Une gerbe de fleurs magnifiques, un regard tendre et chaud, quel rayon de soleil, ce Paul beau prince!

Carmen sentit fondre sa rancœur. Tout en disposant les fleurs dans un vase, elle en vint à croire que de lui-même son don Juan lui donnerait des explications plausibles qui feraient taire ses horribles soupçons.

Mais les heures passaient, le prince continuait de roucouler, boutade sur boutade, joyeux compagnon: beaucoup d'étincelles mais pas de flamme.

Carmen avait mal. Un instant elle eut le désir fou de le questionner mais quelque chose la retenait. Il était si rusé dans l'art de faire de belles phrases qu'il saurait endormir ses appréhensions; non, elle ne lui donnerait pas cette chance. Il lui appartenait de s'ouvrir. S'il ne le faisait pas, les doutes qu'elle entretenait dans son âme seraient confirmés.

À l'arrivée de Paul, Carmen avait machinalement ouvert la radio, un air de tango emplissait la pièce. Voilà que Paul l'entraînait dans une danse folle, l'instant eût pu être si merveilleux! Il la guidait avec une adresse consommée, avec grâce dans les mouvements, obéissant à la musique avec une souplesse digne d'un maître danseur. Lorsque les dernières notes cessèrent, il renversa sa partenaire sur un genou, se pencha vers elle, la regarda droit dans les yeux.

– Tu es belle, princesse.

Puis il la prit dans ses bras. Carmen ferma les yeux, laissa sa tête tomber sur son épaule et tout à fait hors de sa volonté, elle eut une réaction qu'elle ne pourrait jamais s'expliquer.

– Marions-nous, Paul, murmura la femme.

Il éclata d'un grand rire sonore.

– Toi, princesse, tu crois encore au diamant symbolique, en la basse messe qui lie les époux? Vraiment, tu appartiens à cette école de pensée? Mais, princesse, c'est d'un autre âge tout ça!
– Et toi, Paul, à quoi crois-tu?
– À la vie, à la joie, à la gaieté.

Ce disant il l'entraîna au son d'une valse. Elle le suivait dans le rythme endiablé, ils tournaient, tournaient, un tourbillon sans fin qui les menait d'un bout à l'autre du grand salon. Sur les joues de Carmen des larmes coulaient. Elle redoutait l'instant qui suivrait, celui où Johann Strauss ferait taire sa musique. Paul retenait Carmen contre lui. Elle lui dit tout bas, à l'oreille:

— J'étais à l'hippodrome...

Avait-il entendu? Oui, il se raidissait: il avouait! Il desserra son étreinte.

— Merci pour les roses, Paul...

Carmen se dirigea vers la porte d'entrée, l'ouvrit, s'appuya au chambranle, croisa les bras et fixa l'homme d'un regard déterminé: Paul sortit en pestant.

Souffrante, désemparée, Carmen se tapit dans un fauteuil et éclata en sanglots. Sa peine, doublée de frayeur, la laissait une fois de plus tout à fait désarmée. Elle s'endormit dans cette position inconfortable et se réveilla au milieu de la nuit, plus que jamais angoissée, n'osant bouger comme si elle espérait que l'immobilité effacerait le cauchemar. À nouveau les larmes inondèrent son visage.

De tous les défauts qui perturbent l'être humain, la méfiance n'est pas le moindre. Carmen se demandait si elle n'était pas allée un peu loin et provoqué maladroitement cette situation qui lui causait maintenant tant de chagrin. «Si je m'étais trompée? Pourquoi ai-je manqué de confiance en Paul? Pourquoi ai-je ainsi douté de lui?»

Le visage souriant de l'homme, son sens de l'humour, sa gaieté qui ne se démentait jamais, ses reparties joyeuses, en somme son agréable compagnie lui manquaient. Et elle avait mis fin à tout ça! «Pourquoi? gémissait-elle, pourquoi? Qu'est-ce qui m'a poussée à douter de lui? Ce n'est pas dans ma nature profonde de me méfier de mon entourage, alors? Jamais encore je n'ai été trahie par quiconque. Pourquoi en suis-je venue là?»

Et la noire inquiétude continua d'obséder Carmen. Pendant plusieurs semaines, elle ressassa les mêmes pensées jusqu'au jour où elle comprit enfin.

C'est Hortense qui, involontairement, permit de déchiffrer l'énigme qui ne cessait de la hanter. Elle se présenta un jour devant sa jeune maîtresse en s'exclamant:

– Regardez, madame Carmen, ce que je viens de trouver, je l'ai tant cherchée!

– Mais, c'est la cornaline de maman, son porte-bonheur! Où l'avez-vous dénichée?

– Coincée entre deux coussins, sous la joue du fauteuil. Ne cherchez pas aussi frénétiquement, m'avait dit votre mère, à l'impossible nul n'est tenu, un jour vous la trouverez accidentellement, car elle n'a pu se volatiliser. Elle avait raison, comme toujours.

Carmen se souvenait de l'incident; incrédule, elle avait demandé à sa mère:

– Maman, attribuez-vous vraiment des propriétés magiques à cette pierre?

– Non, ma fille, mais je la portais le jour où j'ai connu ton père; plus tard, en gage de bonheur, maman l'avait fixée à mon bouquet de mariée, d'où cette légende. Les fétiches sont le fruit de l'imaginaire, du féerique; une pierre ne saurait assurer le bonheur. Seul un esprit attentif et éclairé peut se porter garant d'une félicité qui, pour être durable, doit être basée sur la confiance réciproque qui règne entre deux êtres qui s'aiment.

À l'évocation de ce souvenir, Carmen comprit soudainement que la méfiance que lui avait inspirée Paul n'avait rien d'imaginaire; c'était une saine méfiance qui fait que l'on obéit parfois à un principe d'ordre moral qui dicte ce qui doit être fait, indépendamment de nos émotions, de nos désirs personnels. Elle se réjouissait maintenant d'avoir obéi à sa voix naturelle, cet avertissement avait émané du plus intime de sa personne. Eût-elle passé outre, choisi par apathie de piétiner les bons principes qu'on lui avait inculqués, de laisser parler son cœur plutôt que sa raison, elle se serait réveillée un de ces quatre matins enlisée dans un marasme profond qui lui aurait valu des souffrances beaucoup plus grandes que celles qu'elle connaissait maintenant.

«Merci, maman», pensa Carmen en fermant les yeux, tenant au creux de sa main la pierre dont, une fois de plus, la magie venait de se manifester.

Hortense, respectant l'attitude recueillie de Carmen, s'éloigna en silence, la laissant à sa méditation.

La peine de la jeune fille s'estompa petit à petit. Parfois quelques réminiscences surgissaient et la troublaient, mais elle les chassait de son esprit.

Toutefois, la place qu'avait temporairement occupée Paul, ne serait-ce que quelques mois, laissait un grand vide dans la vie de Carmen, à nouveau plongée dans la brume de la mélancolie.

Chapitre 4

La fête de Noël et son cortège de joies mirifiques approchaient. Les uns se réunissent pour la chanter et se réjouir. Alors que d'autres, les esseulés, goûtent davantage l'amertume de l'isolement, se remémorent de bons souvenirs, des êtres chers disparus, mille et un détails que parfois une simple mélodie évoque sans raison.

Hortense et Arthur s'absenteraient; comme chaque année, ils iraient visiter leurs enfants en banlieue de Québec. Carmen serait livrée à elle-même.

La neige se mit à tomber, légère et scintillante sous les pâles rayons du soleil hivernal; coquette, dame nature se faisait belle. De la fenêtre de sa chambre, Carmen regardait tournoyer les flocons étoilés qui se posaient prétentieusement sur un sol immaculé qu'aucune présence humaine ne foulait des pieds.

Tant de beauté la troublait. Elle colla son nez contre la vitre comme l'aurait fait une petite fille et glissa dans une profonde rêverie d'où la sortit brusquement le tintement du carillon de la porte d'entrée. Étonnée, Carmen alla ouvrir. Devant elle se tenait une élégante dame aux cheveux de jais et aux yeux pervenche.

– Je suis madame Paul Latraverse, est-ce que je pourrais m'entretenir avec mon mari un instant, il y a urgence.

– Mais... madame.

— Excusez mon intrusion, j'ai consulté son agenda et n'y trouvai qu'une adresse sans nom ni numéro de téléphone; Paul m'avait prévenue qu'il devait s'absenter pour aller signer un contrat.

Carmen, troublée, regarda la jeune femme droit dans les yeux et répliqua:

— Madame, vous êtes ici chez moi, une résidence privée, il n'y a pas de bureau ici. C'est une erreur.
— Ah! je m'excuse, il semble en effet qu'il y a confusion.

Elle posa la main sur la poignée de la porte et avec un pâle sourire ajouta: «Joyeux Noël, Madame.»

Lorsqu'elle se retrouva seule, Carmen frémit. «La pauvre femme, elle n'a sûrement pas exprimé le fond de sa pensée. Le salaud! en plus, il est marié!»

Sa solitude lui semblait subitement moins lourde, voire même souhaitable devant la tristesse exprimée sur ce beau visage au regard inquiet qu'elle espérait avoir réussi à rassurer.

«J'étais là, à bafouiller comme une idiote, grand Dieu! Aurais-je pu m'attendre à devoir faire face à une telle situation? Sa dernière victime, sans doute. J'aurais probablement subi le même sort... Paul, un gigolo? Atteint de donjuanisme? Un Casanova? Ou un pauvre être irresponsable qui n'hésite pas à se faire entretenir par une femme, va de l'une à l'autre sans culpabilité aucune, faisant fi des peines causées? Dieu que je l'ai échappé belle! Je me trouvais injuste, il y a peu de temps encore. Paul marié! Voilà l'explication à sa répugnance marquée en ce qui concerne l'union devant l'Église, il n'est pas libre. Peut-être même en est-il à son enième divorce! Peut-être ne dédaigne-t-il pas aller d'une femme fortunée à une autre, peu soucieux des cœurs qu'il brise, pourvu que lui, Monsieur, y trouve son profit! La tenue vestimentaire de son épouse permet de présumer qu'il ne s'agit pas là d'une personne démunie. Et ses absences répétées, son hésitation à assister à certaines pièces de théâtre, certains soirs... Ce jonc symbolique, le détenait-il de son père ou était-ce seulement un attrape-nigaud? Un cumul de détails insignifiants qui ne ment pas, mais auxquels je n'osais m'attarder sans doute par crainte de découvrir la vérité. Et toutes ces questions subtiles concernant mon père, son étonnement scandalisé à l'idée que je m'acharnais au travail malgré ma condition pécuniaire... L'amusement manifesté lorsque je lui fis part de ma déveine répétée au tapis vert... à plusieurs reprises il revint sur le sujet. Mille petits riens qui me mirent la puce à l'oreille mais que je bannissais de mes pensées. Je me bernais, je voulais tant croire en lui! Si la température avait été moins belle, ce soir-là, je serais demeurée ici à attendre son appel, je n'aurais pas découvert qu'il me mentait aussi effrontément.

«Qui sait? Peut-être cherchait-il seulement à faire de moi sa maîtresse, afin de me garder sous son charme... Mon cher Paul, tu as été très adroit, tu as su deviner qu'il ne fallait pas me brusquer sur le plan des relations intimes et tu as su te montrer respectueux, c'est sans doute ce qui me plaisait le plus en toi. Ce que tu qualifiais de respect de la femme coïncidait bien avec mes principes sur le sujet, aussi je m'attachais à toi, mais trop lentement à ton goût... Aurais-tu perdu patience? Ce qui m'aurait permis de te découvrir tel que tu étais. Pourtant! si tu savais comme j'étais vulnérable, comme j'avais le goût de toi, le désir de tes caresses!»

Et Carmen frissonna des pieds à la tête. Dans son esprit, une pensée triste se forma: «Non, Noël n'était pas une fête joyeuse pour tous. La mélancolie peinte sur le visage de la femme aux yeux pervenche le prouvait bien.»

Hortense, comme chaque année, sauf celle qui avait été marquée par le décès de ses patrons, avait décoré l'arbre de Noël qui avait toujours occupé le même endroit, dans un coin du fumoir.

Carmen, ce vingt-quatre décembre, resta là, assise devant le sapin illuminé et laissa ses souvenirs l'envahir, parfois souriante, parfois triste, au rythme de ses pensées. Les chants de Noël emplissaient la pièce, des airs gais ou nostalgiques, selon l'état d'âme de celui qui les écoute. Partout sur la terre la grande famille chrétienne s'unissait pour chanter l'Enfant-Dieu, que ce soit sous les tropiques ou aux zones glaciales, dans une langue ou dans une autre, sans considération pour la différence d'heure et de couleur de peau. Ce soir, Jésus naissait encore, apportant à tous son message d'espoir.

Ce sentiment d'appartenance réchauffait le cœur de Carmen.

***

Depuis Noël la neige n'en finissait plus de tomber. De légère elle devint abondante, accompagnée d'un froid sibérien, fermant les routes, forçant les gens qui en avaient le loisir à rester coi à la maison.

Les jardins qui entouraient la chic résidence d'Outremont étaient magnifiques à regarder. Les conifères ployaient sous l'amas de neige qui s'accrochait à leurs aiguilles; ici et là des feuilles séchées, demeurées ancrées au sommet des arbustes, faisaient tache de couleur, captant l'œil; les flocons se collaient aux fenêtres et adoptaient le contour des carreaux. Le paysage était d'une beauté féerique.

Carmen tentait de briser la monotonie en lisant et en écoutant de la musique. Elle mettrait bientôt la touche finale à son dernier contrat et rien ne lui laissait espérer qu'il y en aurait d'autres à exécuter.

Aussi, consacrait-elle plus de temps et d'énergie à parfaire son travail, donnant bien au-delà de l'entente signée, à la grande satisfaction de l'employeur qui y trouvait profit.

Carmen entra à la maison, ce soir-là, l'âme triste. Elle se sentait accablée, sa vie futile ajoutait à sa solitude, la duplicité de Paul l'avait profondément blessée et les stigmates prendraient beaucoup de temps à s'estomper. Les jours passaient, toujours plus longs, plus mélancoliques, la plongeant dans un grand désarroi.

D'une nature plutôt douce, Carmen ne se sentait pas la force de se rebeller ou de lutter. Son enfance douillette la rendait sensible à la peine; elle n'avait pas les armes nécessaires pour combattre, son inquiétude se faisait d'autant plus profonde qu'elle n'y voyait pas d'issue. Hortense s'inquiétait; madame Carmen dédaignait les plus appétissants petits plats préparés avec tant d'amour.

— Voyez un médecin, ma fille, lui dit-elle affectueusement, se permettant une première fois une telle familiarité.

– Je ne suis pas malade, Hortense, je m'ennuie, répondit-elle, les yeux noyés de larmes.

– Alors, partez. Voyagez, souvenez-vous de cette croisière...

Carmen se surprit à rêver. Ce soir-là, elle sortit les cartes à jouer, fit et refit les multiples jeux de patience. De nouveau elle désirait retrouver l'atmosphère du casino.

Elle se remémora les heures vécues en ces lieux en compagnie de son père et les remarques sages et pertinentes qu'il avait alors énoncées. «Cette fois je resterai maîtresse de la situation, je ne perdrai plus la tête!»

Et Carmen élabora tout un plan d'action, qui comprenait les règles qu'elle s'imposerait: la somme à miser chaque soirée n'empiétant jamais sur le capital. Dès qu'elle l'aurait perdue, elle s'éloignerait du tapis vert. Le montant de chaque mise n'excéderait pas vingt-cinq dollars. Elle consacrerait certaines heures au jeu et prendrait du soleil, irait à la piscine, ferait de la lecture, visiterait les lieux environnants. Oui, elle mènerait une vie sensée, ne deviendrait pas victime de la passion du jeu.

Et ses yeux brillaient.

Elle choisit de retourner à Porto Rico; non seulement le pays ne lui était pas inconnu, mais elle s'y était plu.

«Là-bas, c'est le soleil!» Et son cœur s'enflamma. Elle fixa la date du départ; les jours qui suivirent lui parurent interminables. Elle eut un plaisir fou à préparer son voyage et alla fureter dans les grands magasins, chose qu'elle n'avait pas faite depuis très longtemps.

Le jour du départ, il neigeait à plein ciel, l'oiseau de métal s'élançait et perçait les nuages ouatés qui s'égrenaient sur la terre; la voûte céleste se fit de nouveau toute bleue. L'élan des forces motrices permettait le miracle de l'évasion: quelques heures et ce serait le pays du soleil et des fleurs. Cette magie toute puissante n'avait jamais cessé de fasciner Carmen. Elle collait le nez au hublot de l'appareil et tentait de donner des formes aux nuages qui en bas formaient des pics ou des crevasses. Et ce fut la descente, le piqué vers la terre qui ne manque jamais de nouer l'estomac.

Fleurs et soleil étaient au rendez-vous. Elle entra dans le hall de l'hôtel le cœur palpitant. Du bar achalandé s'élevait un murmure de voix que perçait celle d'un chanteur de calypso, qui s'accompagnait au piano. La fête était commencée.

Carmen vida ses valises et rangea ses vêtements avec une dévotion peu commune. Elle assortissait robes, souliers et sacs, ainsi ses tenues vestimentaires étaient classées et prêtes pour chaque sortie. Elle goûtait, par anticipation, le plaisir que l'occasion lui donnerait de se faire belle.

Elle plaça ensuite, dans diverses enveloppes, les sommes qu'elle avait décidé de miser chaque soir. Elle alla les déposer avec ses bijoux dans un coffret de la chambre forte de l'hôtel puis alla se prélasser dans les environs. La chaleur caressante des rayons du soleil faisait contraste avec l'air frisquet qui régnait dans le hall. Carmen flânait, faisant du lèche-vitrines, laissant ses pas la mener nulle part. Elle errait sans but, s'arrêtant pour admirer la flore si différente dans ce pays chaud et humide.

Ses pas la menèrent jusqu'à un charmant restaurant qui portait le simple nom de *Café*. Elle entra; l'atmosphère y était joyeuse. La maison se spécialisait en une variété de petits plats savoureux; le service courtois rendait les lieux fort invitants. Carmen sirota un espresso et prit le chemin du retour. À sa grande surprise, elle n'avait que contourné l'immeuble de l'hôtel qui se trouvait là, juste devant elle.

Si Carmen avait pu, en cet instant précis, connaître l'impact qu'aurait ce minuscule café sur sa vie future, elle se serait sans doute troublée.

***

Plus d'un mois s'était écoulé depuis l'arrivée de Carmen à Porto-Rico. De nature fermée elle n'avait noué que de rares relations avec les vacanciers qui affluaient à l'hôtel. Inconsciemment, elle redoutait les liaisons fortuites et l'ambiguïté. La trahison de Paul n'était pas tout à fait étrangère à sa réticence vis-à-vis des inconnus.

L'épreuve de la mort tragique de ses parents n'avait pas su éveiller en elle les vives réactions qu'un tel drame aurait dû normalement susciter. La douleur l'avait terrassée, profondément ulcérée, mais elle avait enfoui cette souffrance au plus profond d'elle-même, refusait de la laisser éclater, refoulait son amertume, cherchait un palliatif à son affliction.

Elle se raccrochait au jeu, le jeu qui accaparait ses pensées et lui permettait d'oublier le mal véritable qui la rongeait, ce qui ajoutait à son instabilité.

À l'envoûtement des premières semaines succéda la

lassitude; peu à peu son entrain diminuait, elle glissait vers le pessimisme, doutait de ses valeurs personnelles.

Chaque soir elle prenait la résolution de retourner chez elle. Mais à la pensée de la solitude qui l'y attendait, au souvenir pénible qu'évoquaient les murs de la maison, elle s'effrayait et retardait son départ. Ici elle se perdait dans une foule, anonyme. Elle continuait de se replier sur elle-même, victime de son propre désarroi; il lui fallait vivre son deuil. Ses souvenirs, même les plus doux, ne faisaient qu'aviver sa peine.

Et les jours passaient. Fidèle aux résolutions prises, chaque matin Carmen passait des heures à s'ébattre dans l'eau salée de la mer. Elle devait en convenir, cet exercice lui était bienfaisant. Elle aimait l'atmosphère joyeuse créée par les vacanciers qui s'amusaient ferme, sans pour autant ressentir le besoin de se mêler à eux, se contentant du plaisir de les entendre rigoler, de les observer.

Les charmes de la nature ne la laissaient pas indifférente: le soleil lui-même se dandinait sur l'onde qu'il rendait d'argent. Des voiliers paresseux voguaient au loin, comme pour ajouter au décor enchanteur.

Le vent doux et chaud eut bientôt fait de sécher le maillot de soie que portait Carmen qui se sentait calme et heureuse. Étendue sur une grande serviette, elle s'amusait à emmagasiner du sable blanc dans le creux de sa main qu'elle laissait ensuite s'échapper grain par grain: les cônes qu'elle alignait avec d'infinies précautions lui valurent la visite de jeunes enfants qui l'invitèrent à se joindre à eux pour faire un château de sable. Tout un chantier se mit en branle; il y avait belle lurette que Carmen ne s'était pas amusée aussi puérilement. Elle ne revint vers sa chambre qu'à la tombée du jour qui a lieu très tôt à San Juan.

Dans le hall, elle croisa madame Minerve, une adepte du jeu qu'elle n'avait pu manquer de remarquer au casino tant sa présence y était régulière.

— Vous êtes resplendissante; le grand air sans doute. Il fait un temps superbe, n'est-ce pas?

— J'ai eu un plaisir fou à jouer avec les enfants, à construire des châteaux de sable.

— C'est donc ça! Vos yeux sont rieurs, vous vous êtes amusée et vous voilà bien détendue. Et si je vous invitais à m'accompagner au bar de la terrasse, hein? Que diriez-vous d'un de ces magnifiques *drinks* exotiques, tout en glace et en couleurs, si rafraîchissants? Allez! prenez mon bras.

Carmen sourit, ne pouvant résister aux charmes de l'octogénaire qui se faisait ensorceleuse.

— Cette heure est la plus douce de la journée, ne trouvez-vous pas? On dirait que la nature se repose tout à coup: le vent est plus doux, les oiseaux se cachent pour dormir, le sol dégage un parfum d'une subtile moiteur.

— Tant de charmes nous échappent souvent.

— C'est que nous oublions de nous y arrêter.

«Subjugués que nous sommes par notre amour du jeu», songea Carmen qui ne livra pas le fond de ses pensées.

La conversation tout impersonnelle était agréable. Quelques habitués du casino venant à passer saluaient amicalement madame Minerve et sa compagne, ce qui étonna Carmen. Ces mêmes personnages se montraient habituellement très distants. Carmen en fit la remarque:

– Je croyais être passée inaperçue, ignorée même.
– Ne vous y trompez pas, chacun tient à garder l'anonymat, mais au fond nous formons un groupe homogène. Nous avons tous cette chose en commun, je parle pour les assidus, bien sûr, ceux qui ne font que passer cherchent surtout à se distraire.

Carmen retint cette réflexion qui la laissait pensive.

Lorsque, ce soir-là, elles se croisèrent à l'entrée du casino, elles échangèrent un sourire entendu.

L'immense hall qui donnait sur le casino était désert. Les joueurs qui résidaient à l'hôtel se trouvaient sans doute en majorité dans la salle à manger, soit à savourer un dessert, soit à déguster un cognac.

Une musique très douce emplissait l'air, une musique qui invitait à la rêverie. D'étincelants plafonniers de cristal jetaient une lumière diffuse sur tout ce qui entourait Carmen. Des corbeilles de fleurs ornaient tables et consoles; c'était le grand chic, le faste que l'on retrouvait dans les hôtels de luxe au milieu du siècle, ce siècle prospère et opulent.

Carmen laissait errer son regard, elle admirait l'art avec lequel on avait décoré cette salle immense. On n'avait péché ni par manque ni par excès. Tout cadrait et s'agençait dans un ordre parfait: en un mot, l'ensemble dénotait bon goût et harmonie.

Le mobilier, confortable, empruntait à des styles

variés, agréablement mariés. L'utilisation du marbre, du cuir et des bois précieux, parfaitement dosée, donnait du ton à la pièce et faisait ressortir l'éclat des brocarts et des magnifiques tapis tissés de soie de Chiraz. Carmen promena le bout de son pied dans les poils soyeux comme pour en goûter la douceur.

Elle projeta de venir croquer sur les lieux, à la lumière du jour, quelques esquisses qui pourraient s'avérer fort utiles et sauraient l'inspirer, le cas échéant.

Pendant que se poursuivait son étude des lieux, le hall se faisait envahir par un nombre de plus en plus grand d'arrivants. Les places assises furent bientôt toutes occupées.

À l'extrémité de la pièce se trouvait le grand escalier qu'elle avait emprunté un peu plus tôt. Carmen se leva et entreprit de se mêler à tous ces gens, des couples pour la plupart, afin de se régaler l'œil de l'étalage de tant de somptueuses toilettes: «On porte beaucoup de noir cette année», ne put-elle s'empêcher de remarquer.

Les dames semblaient à l'aise dans leur élégante tenue de soirée, à croire qu'elles en avaient une habitude consommée; par contre, les messieurs semblaient ennuyés par le port du smoking, du nœud papillon, du col raide, ce qui en incitait plus d'un à s'étirer nerveusement le cou, à tendre le menton de façon disgracieuse.

Madame s'appuyait fortement sur le bras de Monsieur et lui tenait des propos avec un tel sérieux qu'on aurait pu imaginer qu'elle lui confiait un secret d'État; Monsieur, entre deux tics nerveux, souriait béatement à sa compagne.

«Voilà qui fait bien mondain; j'ai si souvent observé le même comportement au grand théâtre, les soirs de première, au bal et comme ici, ce soir, dans l'antichambre des casinos. Les femmes surtout ont la manie de la prétention; chacune observe l'autre, espérant reconnaître un visage connu; on lorgne discrètement l'élégance des toilettes, on jette un regard furtif aux bijoux, on jauge, on évalue. Lentement se forment de petits groupes; dès qu'on se retrouve, on se salue avec éclat, comme si on ne s'était pas vu depuis une décade, alors qu'hier encore, elles étaient pour la plupart ici réunies», pensait Carmen, amusée.

Peu à peu les couples se séparaient, les hommes, maintenant esseulés, se saluaient, courtois. Maintenant que Madame s'était éloignée, Monsieur perdait un peu de son air guindé; il tiquait plus souvent et la main dans le fond de sa poche, tâtonnait les jetons de l'espoir qui s'y trouvaient enfouis. L'un d'eux le faisait de façon exagérée: un monsieur bedonnant en tenait deux entre ses doigts et les faisait habilement et bruyamment claquer, impatient.

Flac, flac, les jetons s'entrechoquaient, faisant un bruit énervant. On le regardait à la dérobée mais il s'en fichait éperdument. Il était là pour lui-même; l'opinion des autres, il s'en moquait.

Défilaient ensuite les dames âgées, les plus nanties, les plus averties, celles qui étaient parvenues à un âge avancé tout en ayant eu l'habileté ou la bonne fortune de savoir contrôler leur passion afin de ne pas se ruiner aux tables de jeux. Point n'était besoin pour elles de dissimuler leur anxiété, elles avaient réussi à la mater.

On les regardait, on les enviait et on les plaignait. On les plaignait pour avoir perdu leur jeunesse... on les enviait car elles avaient une fortune, on les regardait car elles étaient d'un autre âge, celui que l'on dit de la sagesse. On tentait de mettre un nom prodigieux sur le front de chacune.

Elles allaient calmement, gracieuses, de la démarche assurée qui est celle des femmes à succès. Elles avaient sacrifié les talons hauts, soucieuses de leur confort. Leurs robes droites, le plus souvent ornées de pierreries, cachaient les tailles alourdies par les ans; toujours coquettes, elles confiaient leur coiffure aux doigts agiles des artistes coiffeurs, espérant parfois qu'ils accompliraient des miracles.

Elles allaient, sereines, amoureuses de la vie qui leur apportait du bonheur. Le casino, c'était un peu le prolongement de leur jeunesse; là elles avaient l'impression d'être encore et toujours à leur place.

Madame Minerve était peut-être la plus coquette de toutes; elle avait ce petit air hautain, ce regard avide et curieux, cette prestance qui la rendait presque belle.

Ce soir, la charmante dame portait une robe verte, des émeraudes ornaient ses doigts, d'autres étaient élégamment semées dans ses cheveux, de véritables glanures de blé mûri au soleil.

Au cou, madame Minerve portait son éternel collier de perles, parure dont elle ne se départait jamais. Elle souriait, heureuse. Son univers était ici, son public aussi, passionné, comme elle. Elle les aimait tous, ces fervents du jeu, elle les aimait même si elle ne s'attardait pas à faire leur connaissance, à se lier d'amitié avec eux.

Alerte, elle trouvait plaisir et satisfaction au simple fait de participer au jeu, serrée contre ses coéquipiers, satisfaite de ce contact. Chez les adeptes du tapis vert, madame Minerve avait acquis une réputation enviable. On l'aimait, on la respectait, sa compagnie plaisait.

Elle avança, le sourire aux lèvres, d'un pas mesuré, elle glissa lentement sur le velours du tapis; de sa robe longue émergeait une à une la pointe d'un soulier de satin verdure. On s'écartait délicatement sur son passage; elle se dirigea vers l'entrée de la salle.

L'importante sentinelle en fonction inclina délicatement le torse: elle lui jeta un regard complice; n'est-il pas là pour vérifier les arrivants, barrer l'entrée aux indésirés, aux indésirables?

Madame Minerve allait, majestueuse; un instant, sa respiration se fit haletante, l'émotion l'étreignait, comme à chaque jour lorsqu'elle entrait au casino. Elle serra les lèvres, battit des cils. Elle jeta un coup d'œil à la ronde, comme si elle était subitement embarrassée d'avoir à choisir la table vers laquelle elle se dirigerait.

Un joueur l'observa à la dérobée, puis emprunta une direction opposée: ces deux-là ne s'aimaient pas. L'un et l'autre faisaient plus souvent qu'à leur tour les frais des conversations qui ne manquaient pas de susciter des racontars en ce lieu mondain. La rumeur voulait que madame Minerve reprochât à cet homme son manque de fini; il n'était qu'un arriviste, un parvenu. La fortune lui était tombée dessus, soit, mais ne lui avait pas nécessairement inculqué quelques notions de savoir-vivre!

On rapporte aussi qu'un soir, à la suite d'un accrochage, madame Minerve, impatientée par sa façon disgracieuse de faire claquer bruyamment ses jetons, avait subitement quitté la table qu'il occupait et s'était dirigée vers une autre. Des témoins indignés jetèrent à l'homme de foudroyants regards qu'il ignora pour ne pas en avoir compris la raison.

Sans qu'on s'expliquât pourquoi ni comment, un jour la situation changea: c'était maintenant l'homme qui fuyait madame Minerve. Les bavardages allèrent bon train; rien de bien méchant, il faut bien occuper ses loisirs, parler de tout et de rien. Cependant, jamais on ne doit se hasarder à émettre ses opinions personnelles concernant l'implication de chacun au niveau de son obsession du jeu; ça, c'est un sujet tabou, un sujet sur lequel on doit taire ses impressions personnelles, comme le suggère le vieux proverbe: quand on habite un château de verre on ne lance pas de pierres à son voisin.

L'histoire de chacun est l'affaire de l'administration qui, elle, sait tout, allant de ses marottes à son état de fortune.

Oui, au casino, tout est pensé, organisé, calculé, sécurisé. Là, l'ordre règne, ce n'est qu'au niveau du jeu que le hasard est roi. Tout le reste est bien orchestré.

Les faisceaux de lumière sont savamment dirigés sur les tables qu'ils éclairent à profusion à travers des abat-jour de soie ou de cristal, décoratifs à souhait. Le reste de la pièce se trouve ainsi plongé dans une luminosité diffuse qui donne aux lieux un caractère mystérieux, envoûtant.

L'abondante fumée, qui s'échappait des cigarettes des joueurs nerveux, tourbillonnait voluptueusement avant d'être aspirée par des ventilateurs puissants.

Les climatiseurs crachaient le froid à la tonne afin de rafraîchir l'enceinte que le sang en ébullition des joueurs réchauffait. Les dames, malicieuses, promenaient sur leurs bras des mains diamantées qui pétillaient, échappant des étincelles.

Carmen était là, elle déambulait négligemment, mais soutenait une lutte intérieure; ce serait tellement plus sage de ne pas succomber! Mais elle s'illusionnait, se leurrait, comme plus tôt, dans le hall, feignant de s'attarder au décor pour tromper son désir de jouer. Ses pas l'avaient menée jusqu'ici, cet univers merveilleux la fascinait, la grisait; elle laissait errer son regard, se sentait étrangement heureuse, imprégnée par l'atmosphère ambiante, charmée d'être liée aussi étroitement à tous ces êtres envoûtés comme elle par cette passion.

On échange des regards discrets, impersonnels, désintéressés, mais qui n'en sont pas moins fervents et directs. Cette soif, ce besoin d'afficher l'indifférence s'expliquent peut-être par une certaine pudeur: on ne veut pas avoir à rendre de comptes et on est encore moins enclin à ce que l'autre porte sur soi des jugements concernant activités et passion communes; on redoute les indiscrétions.

Toutefois, rien ne fait plus plaisir que de reconnaître un visage déjà entrevu, ce qui crée un sentiment d'appartenance duquel on tire une certaine vanité. On s'observe à la dérobée, on s'évalue à sa façon, on s'aime bien jusqu'au moment où on se retrouve autour d'une même table: alors, finie l'entente tacite, les visages sont hermétiquement fermés, les regards baissés; c'est maintenant chacun pour soi.

Les joueurs fervents, accoutumés des lieux, savent voir beaucoup plus loin que ce qui s'offre aussi plaisamment aux yeux des simples profanes.

Ces somptueuses toilettes, cette élégance recherchée, ces bijoux qui parent bien et évoquent beaucoup, c'est le côté miroitant des choses. Les styles nouveaux, les coiffures «in», les meilleurs croquis des designers, les teintes de cheveux nouvelle vague, les bijoux antiques, comme les fausses pierres, les copies les plus ingénues des maîtres de la mode et des joailliers sont des variantes, qui ont toutefois un seul but commun: faire bonne impression sur son entourage!

Oui, le casino est un monde à part. Il attire et fait peur, il promet, offre et prend, il a des griffes puissantes qui savent dominer: tomber sous sa coupe, c'est s'engager dans une lutte sans merci qu'il faudra soutenir longtemps, longtemps, contre soi-même surtout.

Ses lois sont rigides, indiscutables, bien gravées dans la pierre; il n'est pas recommandé d'essayer de déroger: chez nous, la dette de jeu est d'ordre moral, on ne peut la revendiquer, notre code en a décidé ainsi. Bonne chance à celui qui s'accroche à cet espoir pour commettre quelque anicroche en ne respectant pas ses obligations!

Là-haut, dans le plafond, mille yeux invisibles sous forme de lentilles puissantes captent les mouvements de chacun, mouvements qu'ils projettent sur des écrans surveillés par des témoins fantômes qui scrutent tout et tous. Chaque geste est observé, noté, analysé, calculé: c'est l'office de l'ordre, de l'observance stricte des règlements de la maison, du comportement des employés et du bon déroulement des affaires dans l'établissement.

Les yeux des sphinx placés à l'entrée du sanctuaire ont déjà détaillé les arrivants, de même que les mineurs à qui le jeu est formellement prohibé: le papa de l'imberbe serait le roi lui-même que cette entrée serait interdite à son fils.

Croupiers et banquiers s'affairent aux postes qui leur ont été assignés, le sourire aux lèvres, concentrant toute leur attention à leur délicate et subtile tâche: ils doivent savoir plaire aux clients même si leurs efforts seront déployés en faveur de la maison. Les règles à suivre sont prédéterminées, les lois du jeu étant fort rigides. L'œil du meneur du jeu se doit d'être averti, vif, alerte; de plus, ses mains se doivent d'être agiles, son flair, sûr, ses notions de calcul, exactes. De lui dépendent la bonne marche de l'affaire et la satisfaction du joueur: alors pas d'erreur, pas d'écart, du tact, de l'art, et plus que tout, de la courtoisie, une courtoisie qui ne peut se permettre d'être trop poussée, ou familière, ou de mauvais goût. En somme, tout sentiment personnel se doit d'être exclu dans l'exercice de la profession.

Les nombreuses tables en forme de demi-lune où l'on s'adonne au black-jack sont très achalandées. Sans doute parce que le joueur participe activement au jeu en le dirigeant lui-même. Peut-être parce que les règles sont moins compliquées à comprendre, l'ambiance plus calme qu'à d'autres tables où les dés sont le fer de lance.

Ce matin-là, Carmen avait terminé une lecture qui l'avait fortement secouée: *La pathologie du jeu*, de Philémond Natt. L'auteur n'y va pas avec le dos de la cuillère. Le seul remède suggéré: fuir toutes les occasions. Pourtant ce soir elle était là, elle avait observé le comportement des gens, puis s'était attardée au sien.

Avait-elle besoin de l'opinion de Natt pour jauger le danger qui la guettait? Le seul fait de se retrouver ici le lui prouvait. «Je jouerai, ce soir encore, et je partirai, je retournerai chez moi. Se pourrait-il que je connaisse un jour le sort de Jacques La Brume, devenu soudainement membre actif et fervent de l'Association des joueurs anonymes, zèle inspiré par des goussets vides, une fortune engloutie?»

Carmen s'inquiétait: «Si je crois me promener sans but, je me leurre. Mes onéreuses expériences, mes déboires si amèrement ressentis, mes inquiétudes passées, voire même mes craintes devraient suffire à me mettre en garde. Cette fois encore, si j'accepte délibérément de laisser se refermer sur moi les griffes de ces lieux envoûtants, je me jette dans la gueule du loup. Pourquoi ressentir une joie aussi frénétique? Je joue les innocentes, c'est de l'inconscience crasse, je m'enlise de nouveau dans mon vice. M'apitoyer sur mon propre sort, pleurer sur moi-même ne me mènera nulle part. Dès que je suis ici, je me refuse à toute réflexion pratique, je fais taire ma conscience, je rejette toute pensée raisonnable, je me laisse subjuguer, je donne libre cours à ma passion, je sombre dans mon marasme, je m'engouffre sans pudeur!»

Peu à peu Carmen fléchissait, elle faisait taire ses appréhensions, plus rien ne comptait, elle lorgnait vers les tables de black-jack, elle regardait ces étrangers qui, ce soir, seraient ses compagnons de fortune, bonne ou mauvaise.

Bonne, car, oh! merveille, la première carte qui lui était échue n'était nulle autre que l'as de carreau. Et voilà qu'une fois de plus, elle ressassait mentalement toute la litanie de ses superstitions.

Carmen alluma une cigarette, aspira profondément, se concentra: toutes ses bonnes résolutions avaient fondu! Seul le jeu comptait.

À ses côtés se trouvait un néophyte, impossible d'en douter: la carte détenue par le banquier était un cinq, aucune autre n'était plus favorable au joueur, mais il l'ignorait. Il s'embourba en demandant trop de cartes et perdit son enjeu. Il était si peu initié qu'il perdait maladroitement coup après coup, multipliait les erreurs, s'énervait, misait trop. Il semblait très malheureux.

Par contre, Carmen jubilait: la chance la favorisait enfin. Émerveillée, elle restait les yeux rivés aux gestes du banquier, s'efforçait d'enregistrer les cartes distribuées à la ronde, elle s'enfiévrait, trépignait doucement sous la table, était surexcitée, ensorcelée, captivée. Carmen avait peine à le croire, elle gagnait! Et la chance semblait lui être fidèle.

Chaque fois qu'elle plaçait son enjeu sur le tapis, elle se sentait bouleversée, inquiète, avait peur que sa veine la quittât. Elle avait oublié son voisin, se concentrait sur son jeu, était partagée entre la satisfaction et la peur, le supplice de Tantale quoi. Sa joie s'assombrit soudain: si elle doublait sa mise, elle doublerait ses gains, mais voilà! elle s'était jurée de ne pas miser plus de vingt-cinq dollars; si elle trahissait son serment, la chance la quitterait peut-être. Ainsi tiraillée par des sentiments contradictoires, elle ne savourait pas sa joie. Oui, elle luttait, elle avait une peur bleue de faire fuir la chance si elle pontait plus.

Un instant elle se sentait veinarde, puis elle se tourmentait. Entre deux données, un voisin suggéra: «Ne laissez pas passer pareille chance, doublez vos mises!» Que la tentation était forte! Son cœur chavirait. De temps à autre, elle jetait au fond de son sac les jetons de grande valeur, le geste la réconfortait un peu. «Combien sont là, mêlés à mon bâton de rouge, épars entre mes paquets de cigarettes?»

Carmen était très fatiguée mais n'osait pas bouger.

C'était la torture, elle luttait contre elle-même, contre ses principes, contre ses peurs folles, contre la superstition, contre le banquier et les cartes, elle était fourbue, impuissante à s'échapper du pouvoir dominateur de sa passion. Sa tête tournait, les cartes allaient et venaient à un rythme de plus en plus fou tant la tension était grande. Mais, dès qu'une carte s'abattait sur son coin de tapis, elle parvenait à se concentrer, comme par magie.

«Elle en a du pot!» geignit son voisin entre les dents. Parlait-il pour lui-même? Carmen avait entendu mais faisait mine de rien, aux prises avec ses inquiétudes sournoises.

Le surveillant des tables s'arrêta, observa; il n'était pas sans avoir remarqué sa veine. Il était sans doute le seul à se réjouir du fait qu'elle ne doublait pas ses mises. Sa présence agaçait Carmen, mais elle ne voulait pas le laisser paraître. Elle grillait cigarette sur cigarette, son cœur battait à se rompre, elle avait le visage en feu, les nerfs à fleur de peau.

Ce fut encore le moment du brassage des cartes; Carmen dépliait les jambes, tentait de se détendre. Elle ne savait plus très bien si elle souffrait ou si elle était heureuse.

Son voisin revint à la charge: «C'est incroyable, c'est hallucinant, donnez-moi un peu de votre chance.» Carmen lui sourit. C'est alors qu'elle remarqua la présence de madame Minerve, là, sur sa droite. Leurs regards se croisèrent, elles se sourirent, la dame plissa le nez, une façon de la féliciter sans doute.

Carmen constata que le néophyte était toujours là, plus tendu que jamais. Elle le plaignait car elle savait ce qu'il ressentait; ce tourment, elle l'avait si souvent éprouvé.

Chez les véritables amoureux du jeu se tisse une espèce d'entente tacite, de compréhension mutuelle, de sympathie muette qu'on ne saurait expliquer; une complicité dans le comportement fait que des groupuscules se forment; sans se connaître on finit par se reconnaître.

Certains joueurs tolèrent mal et ragent lorsqu'ils côtoient un gagnant qui a une chance tenace, comme si la veine échouait à l'autre au détriment de la leur; alors ils fuient, vont tenter leur chance ailleurs.

Il n'est pas aisé de pouvoir se concentrer, de savoir calculer les risques, d'observer les passes, la technique du donneur, de visionner mentalement les combinaisons possibles et de savoir contrôler ses émotions. Tant de sentiments contradictoires entrent en ligne de compte que la personnalité du joueur se trouve souvent perturbée, ce qui peut lui jouer de vilains tours en faveur du casino...

Mais, ce soir-là, Carmen gagnait! Elle aurait donc dû se réjouir, elle avait tant désiré cette minute entre toutes: il se réalisait enfin, le vœu très cher, mais voilà qu'il ne lui apportait pas la joie anticipée. Des regrets amers s'infiltraient dans ses pensées, elle se reprochait de ne pas avoir misé plus, d'avoir ainsi raté une occasion de récupérer les sommes perdues dans le passé. «Qu'est-ce qui m'arrive? Je ne suis donc plus capable de goûter des joies pures et simples?»

Carmen constatait, comme ça, tout d'un coup, qu'elle faisait fausse route, que le bonheur n'était pas là; elle était distraite, tiraillée par le désir de rester attablée et celui de partir. Elle se sentait très lasse: «Je me lèverai dès que le sabot sera vidé.»

Elle leva les yeux vers madame Minerve qui regardait dans une autre direction, avec beaucoup d'insistance à ce qu'il semblait. Carmen suivit son regard et repéra un joueur dont le visage était rouge comme du jus de betterave.

Plus près, le néophyte semblait être dans tous ses états: ses pupilles étaient outrageusement dilatées, les veines de son cou et de ses tempes semblaient vouloir éclater, il avait la gueule des perdants, de ceux qui perdent beaucoup.

Dès que le sabot se vida de ses cartes, Carmen éteignit sa cigarette, ramassa ses jetons et s'éloigna, histoire de se détendre. Elle ne s'était pas sitôt levée que sa place fut prise d'assaut.

Ses quelques premiers pas étaient hésitants. Tout en surveillant l'élégance de sa démarche, Carmen tendait les jambes voilées par sa robe longue et cambrait les reins pour se redresser.

Le casino était plein à craquer, tous les sièges occupés, les appareils à sous également; devant certains il y avait queue. Les plus prometteurs? Non, ceux qui avaient tantôt fait résonner leur tintement et craché le gain. Pourquoi s'attarder à ceux-là? S'ils avaient vomi, c'est qu'ils avaient été bien nourris; logique, non? Ils croqueraient maintenant longtemps avant de faire une autre indigestion! Il valait mieux se diriger vers d'autres, les silencieux depuis le début; avec la foule qui circulait ce soir-là, ils devraient bientôt s'emballer, eux aussi!

Ils avaient belle gueule avec leur tête métallique rutilante et leur écran enjolivé de cerises, de citrons, d'oranges, de melons et d'autres symboles de prestige. Pan, pan, bang, les manivelles étaient tirées, poussées, souvent sans ménagement. C'était à rêver de posséder un jour une machine à laver qui aurait autant de résistance! Sa pensée la fit sourire. «Oui, vous êtes beaux, mes chers gobe-sous, je vous trouve même magnifiques, mais je ne vous fréquente pas. Le hic est que vous vous nourrissez d'argent sonnant, de vraies pièces de monnaie; ça me fait horreur de vous voir si indifférents; c'est contre ma conscience, contre mes principes de vous donner à ingérer de l'argent, de l'argent réel, durement gagné et économisé, alors qu'au tapis vert je ne joue qu'avec des jetons! Incroyable duplicité de ma conscience, véritable déloyauté de ma part, les jetons ont été achetés avec, eux aussi, de l'argent comptant, alors, où est la différence? Je me raconte des histoires, une fois de plus.»

— Ah! zut! Alphonse, regarde. Si j'avais misé quatre trente sous au lieu d'un, j'aurais gagné cent dollars; regarde la ligne en diagonale, j'ai perdu ma chance!

Et la dame martela de ses poings l'innocent gobe-sous, des larmes plein les yeux. Mais Alphonse ne lui prêtait pas attention, il plongeait les doigts dans un gobelet de carton pour en extirper les pièces qui glissèrent dans le petit orifice, une à une, inlassablement. Madame exerça sa vengeance contre l'infâme machine en la quittant pour une autre.

Carmen sourit et reprit sa marche; elle savait pertinemment que, devant elle, se trouvait le guichet où elle pourrait encaisser son gain. «Va, Carmen, rends-toi au guichet, encaisse, allez! un geste intelligent s'il s'en trouve; va, file.»

«Toi, petite voix de ma conscience, tais-toi. La soirée est trop jeune.»

«Mais non, va, encaisse, prélève cinquante dollars sur ton gain si tu veux, mais encaisse le reste. Tu verras, tu ressentiras une grande joie d'avoir été aussi sage; tes risques seront moins grands, tu sais comme tu as horreur de sortir une grosse coupure pour la sacrifier au jeu; alors que tu es encore maîtresse d'un si gros pécule, modère ta passion, encaisse! Tes bons vieux principes, qu'est-ce que tu en fais? Tu veux donc perdre ce que tu as si glorieusement gagné? Et les bonnes résolutions, Carmen?»

Carmen dépassa le guichet, évitant de regarder de ce côté. Alors la petite voix ficha le camp. Carmen s'arrêta près des tables de roulette où l'atmosphère était plus agréable et moins guindée qu'au jeu de blackjack. Les roulettes tournaient, tournaient, fascinantes au point qu'il était difficile de les quitter des yeux.

— Faites vos jeux, Messieurs Dames, tonna le meneur de jeu.

Tous les bras se tendirent en même temps; pour un temps il y eut bousculade; quelques-uns crayonnaient, comptaient les coups, inscrivaient les numéros qui furent gagnants, faisaient de savants calculs, des combinaisons de tout acabit avant de parvenir à asseoir leur choix sur un numéro ou un autre. C'est la minute décisive, la plus grisante, celle qui prend au ventre, qui permet d'espérer.

Carmen se faufila entre les joueurs, regarda le tapis; ses yeux s'arrêtèrent sur le chiffre dix-sept. «Il va sortir, j'en ai la cuisante certitude! Un cri impulsif fait écho dans son esprit, sa conviction n'en finit plus de grandir...

— Faites vos jeux...

La roue tournait, la bille bruyamment propulsée par les doigts habiles se dandinait dans le cylindre, poursuivait sa course folle.

Carmen tendit la main, déposa ses jetons.

— ...rien ne va plus.

Le silence était parfait! Spontanément et simultanément tous les thorax se penchaient vers la table, toutes les têtes s'inclinaient, tous les yeux se rivaient sur la bille qui gambadait, sautillait, se calmait et prenait enfin position: le dix-sept.

La voix du croupier trancha:

— Le dix-sept, noir, impair et manque.

Les ah non! les zut! les hourras fusèrent. Les têtes

se redressèrent pour réfléchir, allait-on miser encore sur le même mauvais choix en gardant espoir d'empocher un gain?

Carmen sentit les nerfs de son estomac se cramponner: «C'est inouï, irréel, impensable!» Elle gardait les yeux rivés sur la bille bien campée dans l'espace sous le chiffre dix-sept!

«D'où m'est venue cette soudaine certitude, cette conviction? C'est le hasard, le sort, la destinée?» La roulette avait ralenti sa course, la bille s'était logée sous le dix-sept! Elle ne pouvait plus en douter, le fait était là.

Le râteau balayait les mises perdantes, les jetons de toutes couleurs, de toutes valeurs, glissaient pêle-mêle sur le tapis vert pour s'entasser devant des mains expertes qui, avec une dextérité inouïe, auraient vite fait de les séparer par couleur et de les ranger dans la banque au profit de la maison.

Sur le dix-sept, des jetons gagnants régnaient: l'argentier alignait les jetons pour rémunérer les joueurs. Carmen calcula mentalement que mille sept cent cinquante dollars s'additionnaient à sa cagnotte.

Une dame s'exclama:

— J'aurais dû miser sur le 17, c'est ma date de naissance.

— Malheureusement tu ne peux le faire sur ton âge, le tapis n'a que 36 cases...

— Toi, insolent, joue donc sur ton âge mental; le 7 est à la portée de ta main!

L'homme rougit. Carmen ne put réprimer un sourire.

Elle prit quelques jetons qu'elle poussa en direction du croupier: «Merci.» Il lui sourit, s'empara des pièces qu'il frappa sur la boîte de métal posée là à cet effet. Le pourboire glissera dans la tirelire et en fin de soirée s'ajoutera aux autres, et le tout sera distribué aux meneurs des jeux.

Elle s'éloigna après avoir dissimulé son gain dans son sac, où il s'ajouta à celui de cette soirée de chance inouïe. Ce dernier coup de pot l'avait ébranlée, elle l'attendait depuis si longtemps! Elle sentait des papillons dans tous ses membres, elle avait le goût de glisser un mouchoir de papier entre ses seins pour éponger les gouttes de sueur qui s'y formaient.

Elle était bouleversée, elle avait besoin de réfléchir à tout ça, d'analyser les faits. Elle pensait monter à sa chambre faire le compte de ses gains. Mais son goût de rêvasser l'emportait, ses sentiments étaient confus, une pensée amère lui traversait l'esprit: sa joie n'était pas complète parce que non partagée. Toujours cette grande solitude qui l'étreignait!

Et elle se sentit lasse, elle quitta lentement le casino, se dirigea vers le hall. Le silence qui y régnait était bienfaisant.

Carmen s'installa confortablement dans un grand fauteuil du foyer, un peu en retrait. Elle ôta ses souliers et replia les jambes sous elle pour se détendre.

Sa lassitude n'était pas que physique, quelque chose d'autre la troublait. Les événements de ce soir lui faisaient comprendre qu'elle ne réussirait plus jamais à s'éloigner définitivement des casinos, qu'elle courait à sa ruine. «Je suis radicalement envoûtée par le jeu. Je dois l'admettre, ce n'est pas l'appât du gain qui m'attire, sinon je me sentirais présentement tout à fait heureuse alors que l'inquiétude continue de me ronger. Ces dernières minutes sont celles qui m'effraient le plus. D'autant plus que le tapis vert de la roulette m'a inspiré une certaine répulsion le jour où j'ai constaté qu'en additionnant les chiffres qui y figurent on obtient le total de 666, le numéro du diable! Pourquoi, ce soir, m'en suis-je approchée avec une aussi forte conviction qui s'est bêtement réalisée? J'ai quitté vivement la table dans un geste que je voulais définitif. Le jeu est une impasse, je le sais, et la nature humaine, insatiable; ce soir j'ai gagné et je demeure insatisfaite. Je sais aussi que je ne peux pas récupérer mes pertes, alors? Qui leurre qui?

«Si je suis si lasse, pourquoi est-ce que je ne monte pas dormir? Pourquoi ce besoin de me rassurer, de méditer? Tout ça n'est que duplicité. J'en ai bien peur, je suis devenue une joueuse incorrigible!»

Il lui était difficile de cerner ses sentiments profonds concernant sa nouvelle passion. Jusqu'à récemment elle menait une vie bien cadrée, entourée de parents attentifs qui aplanissaient toutes les difficultés qui se dressaient sur sa route et lui indiquaient de façon subtile les sentiers à emprunter. Elle ignorait tout des embûches auxquelles il faut parfois faire face pour n'avoir jamais eu à les affronter. La vie facile qu'elle avait connue, l'écart entre ce passé reposant et le présent tumultueux se faisait de plus en plus troublant. Il lui fallait maintenant traverser seule ces étapes, apprendre à se vaincre, à contrôler ses émotions, à se prendre en main.

Mais, une fois de plus, Carmen ne savait se faire violence. «Il est très tôt, je jouerai encore, une heure, pas plus. Je verrai bien si ma chance est véritable ou accidentelle!»

Elle se leva et se rendit au salon des dames. Elle brossa ses cheveux, badigeonna ses tempes d'eau froide, retoucha son maquillage, s'avança vers une glace, scruta son image en pied et, satisfaite, retourna au lieu de ses tourments.

Carmen, plus détendue, retrouvait son ardeur, sa vivacité d'esprit, son enjouement.

Plus tard elle se souviendrait de ses hésitations, des dilemmes que lui a imposés sa conscience. Et elle tremblerait à l'idée qu'elle aurait pu passer à côté de son destin. Dame chance la couvrait de son manteau protecteur, ne cessait de la choyer; elle lui réservait plus encore, mais Carmen l'ignorait.

Maintenant qu'elle avait réussi à faire taire ses appréhensions, elle retournerait vers la table où le sort l'avait si bien privilégiée. Là, ce soir, se jouerait sa destinée...

Tous les sièges étaient occupés; Carmen resta en retrait et observa le jeu.

Madame Minerve s'y trouvait encore, toujours fascinée, semblait-il, par monsieur Lecourt vers qui convergeait souvent son regard. De rouge qu'il était, le visage de l'homme était devenu violacé.

Quant au néophyte, il était nerveux, agité. Il sortit une coupure de cinquante dollars de ses goussets; on lui remit deux jetons: il donnait l'impression d'avoir englouti tout son avoir. Il se leva, trébucha puis s'affaissa sur le sol, frôlant Carmen dans sa chute. Celle-ci, sidérée, n'osait bouger. On s'empressa autour de l'homme bientôt emporté sur une civière. Carmen était figée, tout à fait désemparée. Tout s'était passé si vite!

Un garçon apportait sur un plateau des verres de cognac que la maison offrait aux joueurs attablés. Carmen voulut refuser, madame Minerve s'approcha. «Allez! buvez, vous devez être très bouleversée. Prenez place près de moi.»

Le banquier coupait et recoupait les cartes. Le calme était revenu autour de la table, Carmen cependant demeurait troublée.

— De ma vie, je n'ai encore...

Madame Minerve lui coupa la parole de son rire égrené:

— C'est que votre vie fut trop courte... ça arrive, ces vilaines choses. Regardez dans cette direction, en voilà un autre à qui le même sort est réservé, observez-le. Allez, videz ce verre, c'est un bon remontant dans la circonstance. Mauvaise habitude... à ne pas prendre, ajouta-t-elle, de la malice plein les yeux.

Carmen sourit. Le jeu reprenait, on ne se souciait déjà plus du sort de cet homme qui, il n'y a pas si longtemps, posait les mêmes gestes, au même endroit, avec les mêmes espoirs et que trop de déveine avait foudroyé sans pitié.

Carmen perdit son premier enjeu.

– Voilà qui me paraît un peu plus régulier, murmura madame Minerve à l'oreille de la jeune femme.

– Régulier?

– Eh! je vous observe depuis le début de la soirée, vous avez la chance d'un bossu.

– Ah! parce que les bossus sont chanceux?

– À ce qu'on dit, très chanceux même. Ça ne vous ennuie pas de m'entendre jacasser?

– Mais non, pas du tout.

– Il ne faut pas hésiter à me le dire, je ne veux pas vous empêcher de vous concentrer ni devenir votre Jonas.

Carmen ne voyait pas bien le rapprochement, pas plus qu'elle ne comprenait le sens de l'expression.

Madame Minerve se pencha de nouveau et demanda:

– Vous serez ici demain?
– C'est dans mon programme, oui.
– Accepteriez-vous de venir dîner avec moi?
– Volontiers, avec joie.
– Dans ma suite, à sept heures précises.

Elle lui glissa sa carte de visite. Carmen plaça le précieux bristol dans son sac avec ses non moins précieux jetons. Et le jeu continua dans le silence, jusqu'à ce que madame Minerve, se levant précipitamment, ramassât ses jetons et filât sans un mot. Surprise, Carmen la regarda s'éloigner et remarqua qu'elle emboîtait le pas à celui qu'elle observait plus tôt. Ça, alors! Elle n'en croyait pas ses yeux. Elle jeta un coup d'œil à la place que l'homme occupait précédemment, il n'y était plus. Ainsi, c'était bien lui. Carmen était médusée.

Pendant que Carmen goûtait enfin la satisfaction

que ressentent ceux que la chance favorise, madame Minerve trottinait derrière monsieur Lecourt.

Ces deux personnages pourtant si différents participeraient étroitement à l'éclosion de l'aventure romanesque que Carmen vivrait bientôt.

La vie de cette dame âgée empruntait au fantastique alors que celle de son antagoniste émouvait par sa simplicité.

La seule similitude marquante chez l'un et chez l'autre était l'amour passionné qu'ils avaient voué à leur conjoint respectif; cette analogie favorisait le dénouement d'une merveilleuse idylle que connaîtrait Carmen.

Chapitre 5

Monsieur Minerve, homme audacieux et clairvoyant, sut évaluer la chance qui lui échut le jour déjà lointain où il croisa sur sa route un Oriental aux yeux fortement bridés qui lui présentait un produit nouveau: les perles de culture.

Les perles d'eau douce, les perles fines, se vendaient à prix d'or; par conséquent, elles étaient le lot des femmes fortunées. La perle de culture aurait le mérite de se vendre à un prix plus abordable; dès que la mise en marché serait faite, sa popularité ne cesserait de croître et l'affaire serait des plus profitables.

Monsieur Minerve ne crut pas tout de suite au miracle, mais contrairement à d'autres, moins perspicaces, il signa un contrat en bonne et due forme qui lui garantissait l'exclusivité de la distribution des perles japonaises en sol canadien et ce, pour un certain nombre d'années.

Son sens de la compétition aidant, il deviendrait le promoteur zélé de ce produit nouveau. Les perles fines, joyaux hautement estimés, nourrissaient les rêves de toutes femmes. Elles ornaient les poitrines des reines, des célèbres stars et des plus favorisées.

L'introduction sur le marché de la perle de culture permettrait une lucrative émulation, mais pour le moment, la situation semblait plutôt catastrophique: le beau rêve parut tout à coup irréalisable au jeune Octave qui reçut une première livraison de perles orientales. Elle lui parvint dans un coffre immense qu'il ouvrit délicatement, le cœur plein d'espoir. Mais lorsqu'il prit connaissance du contenu, son estomac se noua: elles étaient là, les perles, oui, elles étaient là, par milliers, rondes, abondantes, oh! que oui, abondantes, de couleur et de forme parfaites, pouvant rivaliser avec les autres, celles que l'on pêchait au fond des mers du golfe Persique. Mais elles lui arrivaient en vrac, de toutes grosseurs, non enfilées, non prêtes à être portées!

Il recula, horrifié, porta la main à la tête, fou d'inquiétude. Là se trouvait le fruit de ses économies, dans cet énorme coffre de bois. Des milliers de perles de la plus petite à la plus grosse. Qu'allait-il faire de cet agglomérat de petites boules?

Puis il remarqua, à l'intérieur du couvercle du contenant, une baguette de bois creusée et marquée. Il y inséra des perles: selon leur grosseur, elles répondaient exactement aux excavations: il ne restait plus qu'à utiliser cette règle graduée pour effectuer le mesurage. Ce qui n'était pas peu dire! Il réfléchit quelques jours à son problème, puis décida de passer à l'action. Pour ce faire, il embaucha de jeunes enfants de son voisinage et bientôt, il retint les services de quelques joailliers qui se réjouissaient d'avoir l'occasion d'ajouter à leur revenu. À ces spécialistes, il confia le délicat travail de l'enfilage de ses perles maintenant classées par ordre de grosseur. C'est alors qu'il apprit à discerner jusqu'à la plus petite différence dans les nuances, dans le coloris des perles, ce qui constituait l'étape la plus délicate de toutes les opérations.

Octave Minerve devint astucieux. Il comptait le nombre de fermoirs utilisés chaque jour par les ouvriers;

ainsi pouvait-il exercer un parfait contrôle sur l'emploi du matériel. Parfois confiant, parfois inquiet, mais décidé à réussir et à asseoir solidement sa réputation d'homme d'affaires, il peina avec une ardeur peu commune.

Les perles trop petites étaient mises à part et conservées dans un bac. Un jour, il lui prit la fantaisie d'en enfiler quelques-unes; le résultat fut décevant. Il fit germer cependant dans son cerveau une idée lumineuse: les infimes perles deviendraient un ajout à la richesse du joyau si elles étaient utilisées pour orner les fermoirs des colliers les plus précieux.

Sa trouvaille l'enchanta, il conserva précieusement le collier fait de ces minuscules perles qui l'avaient si bien inspiré et rêva de l'offrir un jour à la femme aimée avec laquelle il partagerait sa vie.

Et bientôt les colliers de monsieur Minerve firent leur apparition sur le marché où ils furent remarqués, puis aimés. C'était le cheminement vers la fortune.

L'industrie de la perle de culture prit très vite un essor considérable, ce qui porta un dur coup au commerce de la perle fine: la mode en fit son enfant choyé.

Octave se réjouissait; devant la demande devenue très forte, il réajusta les prix qui passèrent bientôt à la hausse. Le succès était assuré, Octave Minerve devint temporairement le magnat de l'industrie de la perle japonaise au Canada.

Cette réussite lui ouvrit les portes des gens aisés. Issu d'une famille modeste et fière, grâce à une mère qui consacrait temps et énergie à sa marmaille, il avait acquis au foyer l'art des bonnes manières, d'un sain comportement et d'un esprit pratique. Il sut se faire aimer et son nom était respecté.

Les salons lui étaient inconditionnellement ouverts. On admirait sa façon de savoir être un ami intime sans jamais devenir familier. À monsieur Minerve, on pouvait demander conseil, avec monsieur Minerve on pouvait discuter affaire, il savait écouter, se montrait toujours affable. Aussi le cercle de ses amis allait s'élargissant.

Les belles filles n'avaient d'yeux que pour cet élégant et fortuné célibataire; dès qu'il se présentait dans un salon, on l'entourait.

Un jour, une jolie demoiselle sut retenir son attention. Il se fit discret et l'observa à la dérobée. S'en était-elle rendu compte? Voilà qu'il croisait souvent Mademoiselle, trop, ça ne pouvait être que d'heureuses coïncidences. Dans sa grande simplicité, l'homme ne s'était pas attardé à ce détail. Mademoiselle se faisait de plus en plus aguichante, il se laissa bercer par les charmes de l'admiratrice. Et l'inévitable se produisit.

Un soir qu'ils dînaient en tête-à-tête, dans un décor romanesque, monsieur Minerve complimenta Mademoiselle au sujet de sa somptueuse toilette. Elle portait au cou un riche collier fait de plusieurs rangées de perles graduées, d'une grande luminosité. Croyant que le regard du richissime marchand évaluait sa parure, elle glissa la main sous les rangs de perles et langoureusement les laissa glisser un à un pour en souligner toute l'importance. Puis, elle susurra mielleusement: «Ce ne sont pas les vôtres, celles-ci sont vraies, ces perles d'eau douce ont été pêchées au Moyen-

Orient d'où mon père me les a rapportées. Une fortune, vous savez! Mon père peut se permettre une telle extravagance...»

Le gentleman n'eut aucune réaction devant la gaffe monumentale de la jeune fille qui venait de laisser percer son manque de tact et l'éclairait sur la médiocrité de son jugement. Ce fut la fin d'une très courte idylle.

***

L'amour surgit tout à coup, dans un décor des plus inusités: le statut de célibataire de monsieur Minerve fut cruellement mis à l'épreuve, le jour où il la vit sur le bord de la route. Elle était drapée d'une toison d'or qui couvrait son visage, ses épaules et déferlait autour de sa taille. Assise au bord du trottoir, elle pleurait à chaudes larmes; à ses pieds gisait une bicyclette qu'avait heurtée une automobile.

Il s'immobilisa et admira le tableau qui lui paraissait charmant. Les larmes ne semblant pas se tarir, monsieur Minerve s'approcha jusqu'à toucher la jeune fille. La tête se releva et une main déplaça le rideau qui lui cachait le visage. Les paupières enflées, le nez rougi, l'air embarrassé, elle leva les yeux vers le propriétaire des souliers noirs qui avaient attiré son attention.

— Alors, Mademoiselle, ça ne va pas?

— Pensez donc! Purée de navets, que dira mon père? Tu la perds, tu la brises, on te la vole, c'est la dernière que j'achète, m'a-t-il prévenu en me l'offrant le jour de mon anniversaire. Voyez ce gâchis, purée de navets! Et comment rentrer à la maison avec ce paquet de ferraille?

Elle avait ramené ses genoux sous son menton, regardait au loin, ruminant son malheur.

— Je vous ramène à la maison, vous et cet amas de ferraille, après vous aviserez.
— Ah! oui, vous croyez ça, vous? Et que diront mes parents de me voir revenir en bagnole avec un étranger? Purée de navets!
— Vous leur direz que j'incarne un ange gardien que vous avez croisé sur votre route.
— Et ils vont avaler ça!
— Venez, ouste! debout!

Et ce qu'il vit le troubla. Elle avait accepté la main qui s'offrait, s'y était fermement accrochée et s'était levée d'un bond, puis s'était penchée pour secouer la poussière qui souillait sa jupe. Le regard de l'homme ne put manquer de voir les seins fermes et roses que masquait mal un corsage de coton fleuri paré d'une fronce.

«Purée de navets!» faillit-il s'exclamer.

En cet instant, il n'avait plus la conviction de pouvoir incarner l'ange gardien; son regard allait des yeux bleu acier à la lourde crinière de miel, scrutait la taille mince, les hanches arrondies, les pieds nerveux de la fille qui n'en finissait plus de trépigner. La jupe mi-circulaire ajoutait de l'attrait à sa sveltesse. Monsieur Minerve l'aima, il aima sa retenue, sa déconfiture, la moue qui lui conférait un petit air candide. La droiture de son regard finit de le conquérir.

— Allons, venez, lui dit-il d'une voix très douce.
— Jamais! mon père ne comprendrait pas.
— Donnez-moi l'adresse de vos parents, j'irai les prévenir de ce qui vous arrive.

Elle réfléchit un instant puis obtempéra.

L'admirateur se présenta à un père qui se morfondit en remerciements et ensemble ils revinrent vers l'endroit du grand malheur.

Monsieur Minerve fut touché par la mansuétude des parents qui ne firent aucun reproche à la fille troublée et par la confiance qu'ils lui témoignèrent lorsqu'elle raconta ses déboires.

Le samedi suivant il se retrouva à leur table avec, tout autour, une marmaille rieuse qui savait manipuler couteau et fourchette avec brio. Il venait de goûter à des souvenirs de son enfance et sut que cette belle fille était la compagne toute désignée pour le suivre partout sur le chemin de la vie.

Le jour du mariage, la jeune épousée eut la surprise de recevoir un énorme carton qui contenait une bicyclette toute neuve.

— Ah! papa, s'écria-t-elle, purée de navets, que tu es chouette!

Belle-maman tonna:

— Avant tout, ma fille, ce présent n'est pas de ton père mais de ton époux. De plus, ajouta-t-elle d'une voix plus basse, tâche, de grâce, de soigner ton langage. Tu n'es plus une enfant, tu es une femme, une femme mariée.

La jeune épousée rougit, subitement consciente de sa maladresse. Alors Octave lança, badin:

— Purée de navets, belle-maman, laissez-moi le soin de parfaire moi-même l'éducation de cette jolie dame.

À son épouse, il fit un clin d'œil. Belle-maman se mordit les lèvres, elle saisit le message.

Depuis ce jour, madame Minerve ne déçut jamais son mari ni les espoirs qu'il avait mis en elle.

L'existence de la jeune épousée changea du tout au tout. L'intime réception du mariage fut suivie d'une vie sociale fort mouvementée. Le couple passa quelques jours à Québec et deux nuits dans les tours du chic *Château Frontenac*, puis ce fut la randonnée chez les grands couturiers.

À New York, c'est au son de la batterie royale du somptueux paquebot *Queen Mary* que le couple gravit l'embarcadère, sous un déluge de confettis et de rubans multicolores.

Madame portait un tailleur dont la teinte rehaussait le bleu de ses yeux que le bonheur rendait plus lumineux. Ses épaules étaient drapées de zibelines savamment croisées et elle était coiffée d'un bibi qui, à lui seul, était tout un poème.

Les carnets mondains des journaux locaux ne manquèrent pas de faire état de la passionnante liaison et de décrire avec force détails les toilettes de la belle et jeune madame Minerve, l'élue. Et voilà que le coquet chapeau se retrouva sur mille têtes, influençant la mode du jour.

Lui, riche, altier, de grande réputation, aux tempes argentées, offrait son bras à une jolie ingénue qui avait su capter son cœur de célibataire endurci; ils formaient le couple merveilleux qui fait rêver la gent féminine.

Et un jour ce fut l'apothéose: la presse publia, à la une, la photo de la jeune et jolie madame Minerve encadrée de son époux et de la Divine, nulle autre que la grande star Greta Garbo.

***

C'est à l'occasion de leur lune de miel, lors de leur séjour à Monte-Carlo, dans le quartier de la principauté de Monaco, que madame Minerve fut initiée aux jeux de hasard.

Depuis que la situation de sa fortune le lui permettait, monsieur Minerve fréquentait les casinos, là où les grands d'ici-bas se réunissent pour mille motifs différents, dont le moindre n'est pas de faire mousser leur réputation d'hommes du monde. Des traités internationaux, des contrats fabuleux, les liaisons les plus nuancées, des défilés de mode époustouflants, des fortunes colossales, et quoi encore, n'ont pas, en ces lieux, pris forme? Ah! si les murs des casinos pouvaient parler!

Monsieur Minerve ne se départait jamais du flair et du flegme qui l'avaient toujours guidé. Il connaissait le drame du krach des années trente, il savait qu'un revers de fortune peut être fatal à celui qui n'est pas vigilant, aussi ne laissa-t-il jamais l'appât du gain lui monter à la tête. Il ne dilapiderait pas ses biens sur le tapis vert. Quand il s'approchait de la table de jeu, il le faisait avec la désinvolture de l'homme qui s'attend plus à perdre qu'à gagner. Il ne le faisait que pour la forme. Si la chance lui souriait, il glissait son gain dans ses goussets et faisait mine de courir après la même veine, mais à une table différente. Jamais il n'avait encore triché avec lui-même: une somme mise à part, susceptible d'être engloutie par le tapis, constituait sa plus grande assurance de ne pas se laisser subjuguer. Ladite somme perdue, jamais il ne poussait le risque plus avant.

Pendant leur lune de miel il laissa sa jeune épouse croire en la générosité des dieux et il priait le sien pour qu'il lui impose une cuisante déconfiture. Eût-elle quitté le casino gagnante que toute mise en garde de sa part eût pu lui sembler suspecte.

Et Dieu fut bon; Octave observait sa femme à la dérobée et voyait grandir ses désillusions; elle s'empourprait, s'énervait. Mais il tint le coup et chaque soir il lui remettait une somme assez rondelette pour qu'elle goûte à l'amertume de la défaite. Lors de rares coups chanceux, elle riait, heureuse comme une petite fille, le cherchait des yeux; alors il lui souriait candidement. Mais, chaque soir, le désenchantement était fidèle au rendez-vous.

Et, un matin, au petit déjeuner, elle fondit en larmes.

— Purée de navets! tonna-t-elle, combien de bicyclettes ai-je englouties là?

Monsieur Minerve sortit un calepin à couverture de maroquin rouge et avec le plus grand des sérieux lança:

Huit le premier soir, dix le deuxième.
— Purée de navets! Et tu m'as laissée faire? Je me suis conduite comme une stupide idiote et tu... Octave, tu me déçois!

— Chut, chut! pas de gros mots, pas d'accusations, pas de reproches. Tu as perdu sur un plan mais gagné sur un autre: celui de l'expérience, une expérience qui devrait te servir de barème tout au long de ta vie. Tu as appris qu'ici comme ailleurs, il ne faut pas perdre la tête, perdre la carte serait-il plus juste de dire.

Adroitement, avec beaucoup d'amour et de délicatesse, l'époux lui expliqua les dangers des jeux de hasard, ses conséquences souvent néfastes et la façon habile de s'y adonner sans se faire de mal. «Le jeu, c'est comme le vin, c'est le dosage qui compte. Le casino peut être un endroit agréable à fréquenter; je crois que tu en as goûté tout le charme et l'envoûtement, mais s'il devient ton maître, tu es perdue, irrémédiablement perdue, car le jeu est sans pitié.»

Les jours qui suivirent furent occupés à courir les boutiques. Pas une seule fois, madame Minerve ne suggéra un retour au casino. Son mari s'en trouva fort réjoui, elle assimilait l'enseignement reçu.

Dans les années qui suivirent le couple se retrouva souvent attablé dans les établissements de jeu les plus disparates situés dans plusieurs parties du monde, sur des continents différents. Mais, pour eux, là ou ailleurs, la pondération et le bon sens primaient sur la griserie malicieuse des promesses miroitantes, des espoirs déguisés en cartes et en dés.

Les Minerve voyaient dans les casinos un endroit où il fait bon se retrouver pour savourer les charmes de la vie sociale et de l'élégance. L'ambiance toute spéciale qui y règne crée un sentiment de complicité mutuelle qui lie entre eux les occupants, tout en laissant à chacun l'impression que lui seul règne en maître sur cet univers si bien cerné, si bien contrôlé. Celui qui pénètre dans l'enceinte et y est accepté n'a plus rien à envier à l'émir, il se sentira lui-même un prince les quelques heures où il déambulera dans ce monde à part, ce lieu de griseries.

***

Monsieur Minerve vécut longtemps. La différence d'âge de quinze ans qui le séparait de sa femme ne fut jamais une entrave à leur bonheur conjugal. Ils semblaient avoir été créés et mis au monde promis l'un à l'autre.

Un jour, l'empereur du Nacre, comme on surnommait monsieur Minerve, offrit à sa jeune femme une jolie bicyclette miniature, ciselée dans l'or pur, montée sur une épingle. De tous les présents reçus en ce jour mémorable de leur vingt-cinquième anniversaire de mariage, celui-là l'émut aux larmes: l'homme n'avait pas oublié l'incident qui les avait réunis le jour de leur rencontre. Madame Minerve le porte toujours, dissimulé sous ses vêtements; si elle est malheureuse, qu'elle a besoin de réconfort, d'un coup de chance ou d'un contact avec la réalité, elle place sa main sur le pan du vêtement où le bijou se trouve et elle se sent rassérénée. C'est une bicyclette qui a égayé son enfance, l'a conduite sur la route du bonheur, lui a appris à calculer la valeur des choses.

Ce soir encore, elle s'endormira protégée par ses talismans chéris, son talisman amoureux: le collier de perles fines, et son talisman symbolique: l'épinglette dorée.

Chapitre 6

Albert Lecourt avait épousé la plus belle fille de sa paroisse. Elle était sa gloire, son idole, le seul objet de préoccupations. Elle lui donna six enfants, tous dodus comme leur père.

La famille tirait le diable par la queue. Lecourt, que l'on surnommait gros monsieur, était vendeur de voitures usagées sur le boulevard Décarie; il bûchait jour et nuit pour gagner assez pour nourrir les siens. Les fins de semaine venaient vite, le gain était mince.

Sa jolie épouse décida d'ajouter aux salaires insuffisants de son mari. Elle amadoua les quelques propriétaires de commerces qu'elle fréquentait pour la bonne cause et ne tarda pas à s'attirer leurs bonnes grâces... C'est ainsi qu'un matin, à l'église, le marchand de vêtements pour enfants se réjouit quand il vit s'approcher vers l'autel les enfants de sa nouvelle flamme, bien astiqués, cheveux bien taillés, vêtus comme des princes dans leur pantalon court, leur veston à collet matelot, le bout du nez luisant de propreté, le brassard du confirmé au bras. Grâce à lui, ces enfants pauvres faisaient figure de bien nantis. Son cœur se gonfla d'orgueil; il se félicitait pour sa générosité.

Mais lorsque Madame s'avança à son tour pour recevoir la sainte communion, droite, fière et belle, sans un moment d'hésitation, avec une désinvolture incroyable, le marchand sentit le sang lui monter au visage. Il baissa pudiquement les yeux sur son missel et tressaillit d'indignation. La salope! Il était horrifié. Dieu mêlé à la passion, à l'ambition, à l'orgueil, à la dépravation! L'esprit mercantile de la madame lui apparut dans toute son aberration. Il vit son mari qui recevait, lui aussi, le pain béni, en bon père de famille, fier de sa progéniture, pieusement agenouillé près de sa tendre et loyale épouse...

Madame avait beaucoup de mérite: elle sortait souvent, le soir, allait travailler à classer des dossiers dans divers bureaux achalandés. L'époux, satisfait de cette explication, s'efforçait de faire coïncider ses soirées libres avec celles que l'épouse employait à aller grossir les revenus nécessaires au bien-être de sa famille. Il ressentait un grand sentiment de reconnaissance envers sa belle et n'avait qu'un rêve: gagner assez pour lui éviter de telles fatigues, un tel sacrifice de soi!

Un grand malheur leur échut un jour. L'aînée de leurs filles fut victime d'un viol. Lecourt porta plainte, son cœur de père était ulcéré. On jugeait l'accusé, la défense questionnait la belle dame pour connaître sa version et lui faire énoncer tout haut les confidences que lui avait faites sa fille le soir fatal. L'avocat, en insistant, souligna que la demoiselle semblait avoir prisé l'acte sexuel, la rendant ainsi participante à l'acte. Lorsqu'elle comprit l'astuce, la mère s'horrifia, se leva et tonna: «Vous n'y êtes pas, monsieur l'avocat, vous mêlez les patates et les oignons, nous ne sommes pas ici pour juger des réactions de la victime, le fond de la question repose sur le fait qu'il y a eu viol, et non sur le plaisir.»

On voulut la museler, on la pria de s'asseoir, on la menaça d'expulsion de la salle d'audience. Rien n'y fit. Elle hurla son désespoir à la justice: une tigresse qui défend sa couvée. On réussit à la calmer, mais son éloquent plaidoyer avait touché le cœur des jurés. En quittant la barre elle passa la tête haute devant le jury, s'arrêta et lança d'une voix pondérée mais ferme la phrase décisive, simple mais pleine de bon sens: «Si, je dis si, je savoure le fruit que j'ai volé, est-ce que ça m'absout de l'avoir dérobé?»

Le coupable fut puni. Le papa brailla de bonheur et de fierté: Salomon lui-même n'avait pas fait preuve de plus de sagesse. Son amour pour sa belle quintupla; de ce jour, il portait la garantie du sceau de l'immortalité. Les mois passèrent.

Un soir, monsieur rentra chez lui, avec dans le regard tellement de bonheur que sa femme lui demanda:

— Qu'est-ce qui t'arrive?
— Attends, attends que les enfants soient couchés, je te dirai.

Elle s'était tout abord inquiétée: aurait-il découvert le pot aux roses? Tout portait à croire que non. Il était nerveux, touchait à peine son assiette, mais comme à l'accoutumée, il lui caressait les cheveux, l'embrassait dans le cou, lui mordait le lobe des oreilles, dès qu'il croyait que les enfants ne le voyaient pas faire. Elle se sentit rassurée. C'est debout, les mains posées sur le dossier de sa chaise qu'il annonça fièrement à sa femme qu'une firme japonaise lui avait offert une franchise de voitures neuves.

— Tu comprends ce que ça veut dire? Une licence FA, mon commerce à moi, des voitures neuves. Fini le FB, les minounes, les citrons, les bazous!

— Mais...

— Quoi, quoi, Belle?

— Des japonaises!

— Eh! bien quoi! elles sont plus économiques, plus solides, meilleur marché.

— Mais pas connues; GM, Ford et Chrysler sont des superpuissances qui auront vite fait d'avaler tes trottinettes.

— Mes trottinettes! Tu en as de belles, toi. Pense au succès de la Volkswagen, les chemins en sont pleins, les magnats de l'automobile ne peuvent rien y faire.

— Oui, mais des japonaises!

— Ce ne sont pas des femmes, bon Dieu! ce sont des automobiles! Remarque bien mes paroles, écoute bien ce que je vais te dire: un jour elles occuperont une grande part du marché, deviendront le Waterloo des manufacturiers américains qui se vantent d'avoir un budget plus gros que celui de certains pays d'Europe. Et ce jour-là, je serai riche, riche. Et toi, Belle, tu n'auras plus jamais à passer tes soirées à classer les fiches poussiéreuses et à t'éreinter. Je ne suis pas fou, je te vois revenir, tard le soir, le visage rouge, le regard fuyant, tant tu es fatiguée. Pas une fois, pas une seule fois tu n'as accepté ces soirs-là de me donner ton amour, tu étais crevée, ce qui me faisait souffrir jusque dans la profondeur de mon cœur et de mon orgueil d'homme, ça me soulignait mon impuissance à pouvoir vous apporter tout le nécessaire d'une vie confortable. Je m'efforçais alors de te caresser le dos pour t'aider à te calmer, à te détendre. C'était alors mon tour de garder les yeux ouverts et de songer à ma misère.

Belle fondit en larmes, jamais il ne l'avait vue tant pleurer. Il la consola, lui fit mille promesses et, cette nuit-là, s'endormit fort tard, moins sûr que jamais de la crédibilité de ses voitures japonaises.

Dans les mois qui suivirent, il obtint sa franchise, eut son propre bureau d'immatriculation, une secrétaire à son service, une salle d'exposition où s'alignaient ses voitures prometteuses qu'il n'en finissait plus de polir pour les faire plus belles. Et le gros monsieur rêvait.

Les débuts furent difficiles, Belle avait vu juste. Il n'était pas facile de concurrencer les grands de l'automobile. Mais il ne désespérait pas, s'acharnait au travail. Petit à petit, son commerce prenait de l'essor, la crise du pétrole et la situation économique aidant.

Dès qu'il sentit briller enfin sa bonne étoile, il fit un geste qui avait pour lui une importance capitale. En bon père de famille, soucieux du confort des siens, il prit une assurance sur sa vie, celle de sa femme et de ses enfants. Il se souvenait de son enfance vécue dans la pauvreté parce que son père était décédé sans avoir assuré l'avenir des siens. Le soir du jour où il versa la prime, il se sentit tout à fait rassuré et fort heureux.

Ses affaires florissaient. Monsieur Lecourt gâta les siens, Belle devenait enfin la reine de son foyer. Le bonheur qui régnait au sein de cette famille unie était attendrissant. Les aînés devinrent de distingués diplômés de l'école polytechnique. On quitta le minable logis pour emménager sur une artère huppée: le Boulevard. Un paysagiste conçut le plan du jardin tout autour d'une piscine aux dimensions généreuses et devant sa maison vinrent se ranger quatre voitures, quatre japonaises, mises au service des siens. C'était la gloire, la fortune, le bonheur, l'homme se gonflait de fierté.

L'homme pouvait maintenant acheter des grappes

de raisins sans avoir à les goûter avant de les faire peser, comme il le faisait autrefois, afin d'économiser quelques sous, car chez lui il n'en mangeait pas, ce luxe était réservé aux enfants.

Un jour d'anniversaire de Belle, son mari lui fit une agréable surprise. Ils iraient, seuls, tous les deux, fêter le cinquantième anniversaire de madame et du même coup, vivre la lune de miel qu'ils n'avaient pu s'offrir lors de leur union. Albert Lecourt, heureux comme un pinson, vivait le vrai bonheur.

Le hasard voulut qu'ils se retrouvèrent au même hôtel que madame Minerve. Belle, charmée par cette grande dame au port altier, se prit d'admiration pour elle, l'observait à distance, notait ses toilettes jusque dans le plus petit détail. Ce caprice soudain pour la mondanité charma l'homme.

— Tu as vu, dis, tu as vu la parure qu'elle porte au cou? Cela doit aller chercher dans les centaines de dollars, un pareil ornement!

Pour la première fois, le commerçant s'intéressa à madame Minerve, la suivit jusqu'au casino, vit ce qui se passait dans cet endroit jusque-là inconnu de lui. Il n'en croyait pas ses yeux: on jouait à l'argent, avec de l'argent, l'argent ne servait pas qu'à acheter le nécessaire et le luxe, on pouvait l'utiliser pour s'amuser. Il en était époustouflé. Il en parla à Belle.

Et Belle acheta une boîte de cigares énormes, qu'elle offrit à son époux.

— Mais, je ne fume pas!
— Je sais, mais ça fait chic. Tu peux l'allumer et

prétendre... Eux aussi, peut-être, le font-ils pour l'apparence.

Gros monsieur comprit: Belle voulait que son homme affiche lui aussi sa réussite. Il alluma, s'étouffa, eut la nausée, trouva horrible la senteur qui se dégageait du machin puant.

Belle riait à chaudes larmes. Et pour ça, pour la voir aussi joyeuse, il développa l'habitude.

Lorsqu'il retourna à son bureau, il fit son entrée derrière un écran de fumée qui s'échappait d'un gros Pectop.

Ces vacances tant méritées furent les premières et les dernières pour ce couple d'amoureux. Belle s'étiolait, sa santé déclinait de jour en jour.

— Vois le médecin, Belle.
— Pourquoi? je suis lasse, c'est tout, ça va passer.

Mais il fallut un jour faire face à la réalité: Belle était atteinte du cancer. Ce fut le drame. Monsieur Lecourt sombra dans le désespoir, son bonheur si vaillamment construit était menacé.

Les plus grands spécialistes furent consultés, les meilleurs hôpitaux visités. En vain. L'époux désespéré supplia le Tout-Puissant, tempêta, pleura. Rien n'empêcha le destin de suivre son cours.

Belle s'éteignit un matin ensoleillé; sa main décharnée pressa un instant celle de son mari.

— Belle, oh! Belle, murmura-t-il.

Il refusait d'y croire. Pendant les minutes qui suivirent, il n'osait pas bouger, attendait, espérait encore.

— Belle! répétait-il inlassablement.

Mais Belle n'était plus. La compagne de sa vie l'avait quitté à jamais. Il pleura, doucement d'abord. Puis il donna libre cours à son chagrin si longtemps refoulé pour ne pas attrister la femme adorée; il plongea dans un désespoir profond. Pour lui, la vie n'avait plus de sens.

L'homme, habituellement jovial, devint taciturne. On ne le reconnaissait plus. Il se désintéressait de tout et de tous.

Il pleura amèrement lorsqu'on lui fit parvenir le fruit de la prime d'assurance contractée en faveur de sa femme. Telle éventualité ne lui avait jamais traversé l'esprit: il touchait une forte somme parce que Belle était décédée! Cela lui paraissait absurde, indécent.

Lorsqu'il avait remis le document à Belle, elle s'était exclamée: «Ça payera les mouchoirs dont tu auras besoin pour t'essuyer les yeux le jour de mon décès.»

La boutade les avait bien fait rire, il s'en souvenait comme si c'était hier. De ça et de tout le reste, de tout ce qui concernait Belle.

Jamais il ne lui était venu à l'idée qu'elle puisse mourir avant lui, elle si jeune, si fraîche, si pleine de vie, non, Belle ne la quitterait jamais

***

Lecourt ne se consolait pas de la perte de sa femme, mais le jour insupportable entre tous était sans contredit celui de leur anniversaire de mariage qui lui rappelait trop de moments merveilleux.

Pour alléger sa déprime il revenait chaque année occuper la chambre qu'ils avaient partagée lors de leurs vacances. Il y passait des heures à revivre ses souvenirs, perdu dans ses rêveries. Un jour, il croisa madame Minerve. Eût-il été moins bouleversé, il n'aurait sûrement pas hésité à s'entretenir avec elle, ne fut-ce que pour le plaisir de parler de sa femme. Mais il se contenta de regarder la dame tout en gardant ses distances.

Jusqu'au soir où il eut soudainement une pensée folle, un désir fou qui ne le quitta plus: Belle avait rêvé tout haut de ce collier de perles que portait madame Minerve.

«Je vais l'acheter, à prix d'or s'il le faut. L'argent des assurances sur la vie de Belle servira alors à réaliser un des rares désirs qu'elle ait exprimés.» De ce jour, gros monsieur devint assidu au casino. L'émotion l'étreignait. Sa nervosité était telle qu'il en devenait maladroit. Pour calmer son anxiété, il développa un tic fort désagréable: il jouait bruyamment et constamment avec les jetons qu'il faisait claquer entre ses doigts.

Il se fit encore plus détestable quand enfin il osa s'approcher et prendre place à la même table que la dame qui n'était pas sans sentir peser sur elle son regard embarrassant.

Madame Minerve tenta, mais en vain, de ne pas lui prêter attention. Il bougeait continuellement et finit par agacer tous ceux qui étaient là. Alors madame Minerve se leva, le dévisagea et quitta sa place.

L'homme rougit et baissa les yeux. Mais dans son cœur et dans sa tête, son obsession persistait, de plus en plus cuisante.

Non, il ne devina pas que madame Minerve le fuyait à cause justement de l'embarras dans lequel il la plongeait en lui jetant ces regards insistants, à la dérobée, ce qui avait eu comme conséquence de l'avoir troublée d'abord, puis de plus en plus inquiétée. Comment aurait-elle pu supposer que l'homme n'avait d'yeux que pour son collier et de pensées que pour sa femme décédée?

Pour le moment, ses ambitions convergeaient toutes dans le même sens: obtenir ces perles magnifiques convoitées par sa femme.

Chapitre 7

Cette année encore, Albert Lecourt était revenu à son lieu de pèlerinage. Madame Minerve s'en était réjouie intérieurement, mais ne laissa rien paraître de ses sentiments profonds.

Quand on a atteint un âge avancé, la présence de visages connus prend de l'importance car ils se font de plus en plus rares. Madame Minerve avait des raisons très personnelles de s'inquiéter de cet homme qui l'horripilait; pourtant, à certains jours, ses sentiments se faisaient plus tendres à son égard. Aussi s'était-elle souvent demandé s'il reviendrait comme par les années passées. Toutefois elle ne fut pas sans remarquer que l'homme semblait plus abattu, plus morose qu'à l'accoutumée. Elle ignorait que la dernière des enfants de gros monsieur s'était mariée et que la somptueuse maison du Boulevard devenue déserte était triste à mourir. L'homme venait de perdre sa dernière raison de surmonter son incommensurable peine.

Ce soir était celui de l'anniversaire tragique entre tous: le décès de Belle. Dans le grand salon déjà, l'homme lui avait paru surexcité. Elle le laissa choisir sa place puis s'attabla à proximité, un endroit d'où elle pourrait l'observer à loisir. C'est ainsi qu'elle se trouva mise en présence de Carmen qui vivait, elle, des heures de chance inouïe.

Les cartes allaient, venaient, la mise se perdait ou se doublait mais Lecourt semblait indifférent à tout. Parfois le banquier devait attirer son attention car il oubliait de placer sa mise.

– Cartes, monsieur?
– Oui, oui, jetait-il.

Décidément il avait la tête ailleurs. Les épaules affaissées, le visage empourpré, il faisait triste à voir. Madame Minerve le plaignait, elle qui connaissait le gouffre de sa solitude, elle avait bu à cet amer calice lorsque monsieur Minerve la quitta pour cet autre monde, celui des élus. Oui, elle connaissait cette peine insurmontable qu'est le veuvage, elle qui avait été tant aimée.

Mais le grand chagrin de madame Minerve demeurait prisonnier de ses entrailles, elle ne le manifestait pas publiquement. Du bonheur qu'elle connut, des sages directives que son cher époux lui avait inculquées, elle gardait un souvenir vibrant. Madame Minerve demeurait fière, sage, pondérée et ne laissait éclater sa souffrance que lorsqu'elle se trouvait seule, loin des yeux de témoins gênants, dans l'intimité de sa chambre où elle donnait libre cours à son chagrin et à ses larmes.

Ailleurs elle affichait un air paisible, stoïque, elle semblait en harmonie avec elle-même. Peu à peu, elle s'éloigna de son entourage intime, coupa les relations avec ses amis d'autrefois qui avaient le don de l'horripiler avec leurs faux airs de condescendance, de témoignages de sympathie exagérés et de souvenirs trop cuisants que leur contact éveillait. Elle devint solitaire, très solitaire, ne se liait que difficilement; voilà pourquoi le casino et son anonymat lui plaisaient tant. Ici elle pourrait continuer de se prélasser dans cet endroit qu'elle fréquentait autrefois allègrement au bras de son mari.

Elle jouait pour jouer, pour se distraire. Son mari lui avait enseigné la façon habile et sage de se comporter devant les griffes puissantes de la passion du jeu. En femme bien équilibrée, elle ne laissa jamais le démon tentateur influencer son comportement. Elle ne péchait pas par abus, bien sûr, elle misait raisonnablement mais sans sens pratique, en enfant gâtée. Gain et perte ne lui semblaient que des résultantes logiques. Elle oublia que le temps vient à bout de tout, même de la fortune si on manque de jugeote. Les nombreuses années qu'elle passa assise au tapis vert grugèrent inlassablement ses biens. Monsieur Minerve lui avait inculqué des notions de modération, certes, mais pas le sens des affaires.

Et ce fut la catastrophe. Il lui fallut affronter l'affolante situation. C'est alors que le gros monsieur, quoique ignorant des difficultés financières de madame Minerve, s'approcha de la femme et lui fit une proposition incroyable: elle s'horrifia. Elle, monnayer son précieux bijou! Elle en perdit le sommeil. En présence de l'homme, elle parvint à camoufler son dégoût profond pour la lueur d'espoir qui prenait forme dans son esprit. Elle se mit à rire de l'insanité de l'homme qui, avec beaucoup d'humilité et de tristesse, expliqua la raison de sa requête qui devenait une supplique. La noblesse des motivations qui avaient inspiré la démarche de l'homme rassura madame Minerve. S'il était sincère, il ne la trahirait pas, elle pouvait compter sur son entière discrétion, argument vital.

La bonne dame savait pertinemment bien que tôt ou tard elle devrait se défaire de ce joyau qui constituait sa dernière ressource en dehors de sa résidence cossue de

Notre-Dame-de-Grâce, son bien ultime qu'il n'était pas question de sacrifier pour des dettes de jeux.

L'intervention de Lecourt n'avait fait que devancer l'échéance de la décision; tôt ou tard il lui faudrait négocier le précieux bijou avec un commerçant: l'alternative qui s'offrait lui rendait la situation plus douce, lui permettait de sauver son orgueil. Madame Minerve fléchit et la transaction eut lieu.

Le temps passa mais ne cicatrisa jamais l'ulcération que lui avait infligée son geste. Peu à peu, toutefois, elle en vint à tolérer plus facilement sa présence malgré l'aversion qu'il lui inspirait, comme s'il eut été le seul coupable de sa déconfiture.

Ce soir, elle l'observait, elle comprenait mal. Belle lui avait laissé le plus beau des cadeaux, le joyau d'une famille. Comment ne parvenait-il pas à contrôler sa peine, alors qu'à travers ses enfants il pourrait la retrouver, la reconnaître, continuer de l'aimer, elle? Madame Minerve avait tant espéré cette joie ultime: avoir des enfants bien à elle, mais en vain. En mourant, monsieur Minerve avait pris avec lui la joie, le soleil, la vie. «Mon âme ahane», avait écrit Montaigne, madame Minerve était en mesure de saisir la profondeur de ce vers, il s'adaptait bien à son amère souffrance.

Lorsqu'elle comprit que gros monsieur quittait sa place, elle le suivit des yeux. Voyant qu'il s'apprêtait à quitter l'enceinte, elle se leva d'un trait, ramassa ses jetons et partit en flèche.

L'homme quittait trop tôt, ce n'était pas normal. Il était habituellement rivé à son siège jusqu'au petit jour. Alors, pourquoi, ce soir...

Madame Minerve trottait aussi vite que ses vieilles jambes le lui permettaient. Elle rejoignit l'homme, l'accosta:

— Vous nous laissez tomber bien tôt, essuyez-vous si lourde perte?

Il ne l'avait pas entendue, ça se voyait, il ne la regardait même pas et faillit la renverser en la frôlant de très près. Ses yeux hagards, sa face congestionnée, les veines de son front gonflées, tout chez lui laissait présager le pire.

Le liftier s'écarta pour le laisser entrer dans l'ascenseur où il s'engouffra, suivi du garçon en livrée qui vit venir madame Minerve. Alors, il attendit la dame, qui comptait sur ce répit pour le rejoindre.

— Grimpez! tonna l'homme.
— Bien, Monsieur! et la porte glissa.
— Zut! s'exclama madame Minerve; elle emprunta la cage d'à côté et se rendit à sa suite.

Une fois seule, elle arpenta la pièce de long en large, bouleversée, inquiète.

— Mais que puis-je faire? Le triple idiot est enfermé dans sa coquille, une coquille hermétique! Ah! et puis zut! il est assez grand pour savoir se conduire. Si au moins il avait le foie assez solide pour se saouler, il engourdirait ainsi sa peine, mais il ne boit pas. «Toi, Octave Minerve, du haut de ton ciel, tu m'entends, soutiens le moral de ce pauvre gueux, comme tu le fais pour moi depuis toutes ces années.»

Comme elle le faisait toujours, elle adressait sa supplique à haute voix, sans doute dans l'espoir d'être entendue de si loin.

Madame Minerve prit sa tête entre ses mains et fouilla dans son esprit pour tenter de trouver une solution plausible.

Et si mes appréhensions étaient vaines? Il a peut-être des coliques, il veut dormir, ou pleurer, ou cacher sa peine!

Non, ça ne collait pas. Alors quoi? Elle consulta sa montre. Il était seul depuis plus d'une heure. Et si j'allais frapper à sa porte? Encore faudrait-il que je sache laquelle! Ce qui fit germer une idée lumineuse dans son cerveau. Elle réfléchit, tenta de calculer le pour et le contre du geste qu'elle se préparait à poser.

Mettant de côté toute hésitation, agissant tout à fait à l'encontre de ses principes, faisant fi des conséquences de son erreur, si elle en commettait une, elle entra en communication avec l'autorité administrative du casino et demanda à parler au directeur.

Celui-ci connaissait son habituelle discrétion, elle n'en doutait pas, il prendrait ses appréhensions au sérieux. De fait, l'important personnage l'écouta, ne fit aucun commentaire et remercia.

Madame Minerve se sentit soulagée d'un grand poids. Elle se dévêtit, enleva le collier de perles qu'elle laissa traîner sur son bureau, sortit un écrin de velours duquel elle en extirpa un autre, à une seule rangée, y laissa courir amoureusement les doigts et le noua autour de son cou. Chaque soir, c'était le même rituel. Ce collier de fines perles était son bijou le plus précieux, le plus symbolique; il lui avait été offert le matin de leur mariage par son cher Octave. Elle le portait pour dormir. Il était son fétiche béni, son puissant protecteur.

Elle allait se mettre au lit quand elle se souvint tout à coup d'avoir invité cette jeune femme à dîner. Elle rédigea une note à son intention et pria le chasseur de venir à sa suite prendre le message que l'on transmettrait à son invitée.

Elle qui se faisait toujours un point d'honneur de ne jamais se montrer publiquement sans que ce soit sous son meilleur jour, elle n'aurait sûrement pas le cœur à badiner ou à jouer les mondaines après les émotions qu'elle venait de connaître. Non, demain elle se reposerait.

Elle ne parvenait pas à chasser de sa pensée le visage convulsé de gros monsieur. «Fasse le ciel que je sois intervenue à temps», pensa-t-elle.

Madame Minerve prit sa plume et confia ses soucis à son journal intime.

***

Dès qu'il se retrouva seul, Lecourt referma sa porte, la verrouilla à double tour. Il prit délicatement un sac de velours dissimulé sous ses vêtements, il l'ouvrit, après en avoir caressé le contenu, il le referma et le déposa dans un carton sur lequel figurait le nom de madame Minerve et le numéro de sa suite.

Il descendit les étages qui le menaient à la réception de l'hôtel et remit le précieux colis au préposé pour qu'on le fît parvenir à sa nouvelle propriétaire.

Puis il retourna à sa chambre. Il était maintenant paisible, le geste qu'il venait de poser semblait d'une importance capitale.

À nouveau, il s'enferma. Il en avait décidé ainsi. Cet anniversaire du décès de Belle serait le dernier, sa souffrance était trop grande. Il avala calmement la ciguë de son choix et ses pensées, de plus en plus nébuleuses, déformèrent lentement l'image de sa bien-aimée.

Il portait encore le smoking; sur la table, près de lui, était déposé un énorme cigare à demi consumé.

Ce qu'il ignorait, c'est que, là-haut, madame Minerve, qui avait soupçonné son geste malheureux, s'inquiétait pour lui, qu'elle faisait les cent pas et cherchait un moyen de contrer le drame.

Chapitre 8

La chance têtue qui avait favorisé Carmen dès les premières heures de cette soirée se faisait maintenant vacillante, mais Carmen continuait à se tenir à flot sans avoir à piger dans son sac pour en extirper les fruits de ses gains. Elle se sentait merveilleusement détendue et savourait chaque minute écoulée: une fois de plus le plaisir de jouer exerçait son emprise sur elle.

Le talon maintenant vidé de ses cartes, on procéderait à un autre brassage; Carmen profiterait de ce répit pour aller aux salles de toilettes se refaire une beauté.

Dans le hall qui y menait, elle croisa un type qui s'était trouvé à sa table en début de soirée.

– Et cette chance, elle ne vous quitte pas?
– Que ferais-je sans elle? dit-elle, souriante.

Il rendit le sourire et poursuivit sa route. Carmen entra dans l'endroit réservé aux dames, un miroir lui refléta son image, elle ouvrit son sac pour prendre son bâton de rouge à lèvres. C'est à ce moment précis qu'elle entendit le bruit sourd d'une détonation. Elle sursauta et pensa à celui qu'elle venait de croiser. Elle pivota sur ses talons, revint dans le corridor et vit arriver l'homme, blême comme un suaire. Il semblait complètement abasourdi. Elle l'approcha, il avait une tache de sang sur une joue. Elle prit un mouchoir dans son sac et l'essuya. Il ne réagit pas à son geste et posa les mains ouvertes sur le mur d'en face, inclina la tête.

– C'est affreux, affreux, affreux! ne cessait-il de répéter.
– Vous avez vu?

Il opina d'un mouvement de la tête.

– Vous le connaissiez?
– Non, affreux, affreux!
– Vous avez tout vu?
– C'est affreux, affreux!
– Venez, je vous en prie, vous ne pouvez rien y faire, venez, partons, je vous en prie...

Pendant ce temps un grand mouvement se fit autour du couple. Carmen savait que chaque fait et geste posés dans les casinos sont observés grâce à de nombreuses caméras dissimulées, mais, en cet instant précis, elle ne s'arrêta pas à de telles considérations. Elle nota seulement que la situation était maîtrisée.

– Venez, insista Carmen en s'adressant à celui qui lui semblait désespéré, venez, éloignons-nous d'ici.

Elle posa la main sur son épaule. Il tourna la tête vers elle et, les yeux mouillés de larmes, il jeta sourdement:

– C'aurait pu être moi, là... qui...

Et l'homme attira Carmen vers lui, l'enlaça, comme un enfant qui cherche un refuge. Ils restèrent là, muets, immobiles.

C'est à ce moment qu'on les approcha pour leur offrir aide ou assistance.

– Il y a une autre sortie, demanda Carmen?
– Suivez-moi, répondit le préposé.

En passant devant la porte fatale encore ouverte, elle jeta un rapide coup d'œil à l'intérieur. Elle ne vit pas la victime mais une partie des dégâts, ce qui la remua fortement. Des traînées de sang souillaient les miroirs. Elle guida les pas de celui qui la suivait comme un somnambule, le conduisit dans un endroit isolé du foyer. Il se laissa tomber sur un divan et cala ses mains dans les joues du fauteuil; il regardait devant lui, comme frappé de stupeur.

Il fallait que cet homme parle, qu'il dise quelque chose, n'importe quoi mais qu'il parle. Le choc avait été trop grand! Carmen déclina son nom et lui demanda le sien. Il ne répondit pas.

– Je reviens...

Elle se dirigea vers le bar du casino, commanda deux cognacs et revint vers l'homme. Il regardait toujours au loin, n'avait pas bougé. Elle lui tendit un verre et insista pour qu'il le boive. Il l'avala d'un trait. Alors elle lui tendit l'autre.

– Merci.
– Quel est votre prénom?
– Joël.
– Vous voyagez seul?
– Oui.
– Vous avez tout vu?

Il répondit par une grimace.

— J'espère que vous n'assumez aucune responsabilité pour ce qui s'est passé là?
— Il ne m'a pas laissé le loisir de l'aider.
— Auriez-vous pu?

Carmen dut répéter la question.

— Auriez-vous pu, Joël?
— Peut-être.

Et il baissa la tête. Voilà, elle avait réussi à détourner ses pensées; il semblait réfléchir. Elle garderait la conversation orientée dans ce sens pour le forcer à s'exprimer.

— Il était déjà là quand vous êtes entré, je présume.
— Oui.
— Et il tenait l'arme?
— Oui.
— Qu'en savez-vous?
— Il me tournait le dos et je vis le revolver au moment où je passai près de lui.
— Vous avez pensé le désarmer?
— Non, mais je tentai de lui parler, il a aussitôt levé l'arme, le visage tourné vers le miroir et...

Joël cacha son visage dans ses mains.

— Ce n'aurait été que partie remise, vous vous en doutez bien. Le fait que vous vous soyez trouvé sur les lieux n'a rien changé à la situation, vous êtes arrivé mal à propos, rien de plus.

Pour Joël, l'homme cessait d'être un inconnu. Celui que sans doute la ruine avait poussé au désespoir resterait à jamais gravé dans sa mémoire.

— Si seulement on pouvait prévoir!

Elle regretta sa phrase car elle se remémora ce qu'il avait dit plus tôt: c'aurait pu être moi.

Carmen se perdit dans ses pensées: «Si le présent désespoir de Joël provenait de son état d'âme personnel? Comment interpréter ses mots? Je ne peux tout de même pas le forcer à me faire des confidences, à me raconter sa vie. Si j'étais montée dormir plus tôt, je me serais épargné toutes ces émotions fortes! Mais je ne suis pas partie, je suis là, malheureuse et bouleversée. De l'autre côté des grandes portes, la vie nocturne continue et la plupart ignorent ce drame. C'est incroyable, nous sommes tous réunis sous un même toit, nous agissons en solitaires, côte à côte, anonymes, nous faisant un point d'honneur de ne pas intervenir, de ne pas nous immiscer dans les affaires d'autrui. Chacun tire son épingle du jeu du mieux qu'il peut et tous se quittent sans se connaître sauf, bien sûr, en de rares exceptions.

Elle regardait Joël, qui demeurait plongé dans ses réflexions, et elle se demandait ce qu'elle pourrait bien faire pour l'en détourner.

«Ce qui importe pour le moment, c'est qu'il ne soit pas seul, même si ma compagnie semble superflue. Joël est tout à fait consterné, les traits de son visage sont crispés et il garde toujours cette position qui indique bien à quel point il est tendu.»

— Joël, m'écoutez-vous?

Elle dut répéter son nom à quelques reprises, il semblait ne pas entendre. Alors elle insista.

— J'ai faim, Joël, comme chaque fois que je subis une émotion forte. Que diriez-vous si nous allions au *Café*? Une bonne marche au grand air nous ferait du bien.

Joël hésita un instant puis se leva, plongea son regard dans celui de la jeune fille et dit: «Merci! Vous ne saurez jamais à quel point votre présence à mes côtés m'est précieuse!»

Une fois sur le trottoir, Carmen glissa sa main sous le bras de l'homme dans un geste de réconfort. Ils cheminaient silencieusement, chacun aux prises avec ses propres pensées.

Ouvert jour et nuit, le *Café* attirait les fervents de jeu qui venaient souvent s'y repaître. Carmen n'avait pas vraiment le goût de manger. Son estomac était noué et elle se sentait très lasse. Cependant, elle n'avait pas trouvé meilleur prétexte pour gagner du temps; il était si désespéré qu'il lui semblait cruel de le laisser seul avec sa grande souffrance.

L'atmosphère était joyeuse, la musique agréable, l'ambiance invitait à la détente.

— Charmant, cet endroit.

Carmen sourit. «Enfin, il se déride», pense-t-elle.

— Je savais qu'il vous plairait, je l'ai découvert tout à fait par hasard, lors d'une promenade.
— Et cette fringale, toujours aussi ardente?

— Voilà qui me fait plaisir, vous êtes revenu sur terre.

— Je ne l'ai jamais quittée, et je n'en ai pas l'intention non plus.

— Alors?

— Alors... quoi?

— Pourquoi avoir dit ça?

— Avoir dit quoi? que je n'ai pas l'intention de quitter la terre?

— Vous vous payez ma tête ou quoi?

— Je vous avoue que je ne vous suis pas.

Carmen fulmina. Elle se pencha vers Joël et dit sèchement:

— Je répète textuellement vos paroles: «C'aurait pu être moi!»

Il la regardait, ahuri.

— Vous l'avez dit, oui ou non?

Il renvoya la tête en arrière, passa ses mains sur son visage et éclata d'un rire sonore si éclatant que les têtes se tournèrent dans leur direction.

— Je vous ai fait peur? Ah! pardon, mille fois pardon.

— Peur? Peur? Vous m'avez ter-ro-ri-sée!

— Et... vous êtes demeurée près de moi, vous vous êtes métamorphosée en ange gardien, parce que vous avez cru... Excusez-moi, j'ai...

— Vous avez? continuez! Maintenant je veux savoir.

— Pauvre ange! Je n'en reviens pas.

Et il se remit à rire.

— Pas de faux-fuyants! Allez, confessez-vous!

Il redevint sérieux, hésita un peu, cherchant ses mots. Le garçon de table approcha, Joël commanda du vin.

— Je suis un forcené du travail, je me tue à la tâche. J'en oublie de vivre et de manger. Je pioche nuit et jour. J'en suis venu à ne plus savoir me détendre, je me suis tellement créé d'obligations qu'il n'y a plus moyen de reculer. Depuis plusieurs années je n'ai pas pris de vacances, je ne me suis donné aucun répit. La fatigue s'accumulait, je le sentais, mais je persévérais dans ma vieille habitude de me tuer à la tâche. Puis, un bon matin, après une autre longue nuit d'insomnie, je suis descendu à la cuisine pour me préparer un petit déjeuner que je ne pus même pas avaler. J'assénai un coup de poing sur la table et tonnai: c'est assez, ça a assez duré, que le diable emporte tout! Je remontai à ma chambre, ouvris le coffre-fort, pris l'argent liquide qui s'y trouvait, fourrai quelques vêtements dans une valise et je descendis, décidé à aller me reposer, n'importe où, en Chine communiste s'il le fallait, mais où on ne me rejoindrait pas, où le téléphone ne sonnerait pas. Je rédigeai une note à l'intention de ma femme, lui disant de se débrouiller le mieux possible avec la galère car moi j'en avais assez. Je sautai dans ma voiture, passai à la banque, utilisai ma carte verte et pris un chemin détourné pour ne pas passer devant la maison ou mon bureau, car je craignais de changer d'idée. Je n'étais pas sitôt sorti de la ville de Sherbrooke que je me sentais mieux. J'ai roulé plusieurs milles, heureux comme un pinson, content comme un petit garçon qui fait l'école buissonnière. Sans savoir pourquoi ni comment, je me suis retrouvé sur la route qui mène à Québec. Je suis entré à l'hôtel, ai avalé un whisky et suis allé me coucher. J'ai dormi dix-huit heures d'affilée, comme un bienheureux. Je me suis réveillé affamé. Aussitôt que je m'attablais, les chiffres et les décisions à prendre recommencèrent à me trotter dans la tête. Déjà, je pensais au retour vers le devoir. Alors, pour ne pas succomber, j'ai sauté dans un taxi avec mes hardes et je me suis fait conduire à l'aéroport. J'ai pris le premier départ en piste. Pour abréger, je me suis retrouvé ici.

Joël se tut, inclina la tête pour réfléchir. Après un certain temps il reprit son long discours.

— Ce soir, devant le geste de ce pauvre diable, je n'ai pu m'empêcher de penser que le stress et le surmenage peuvent être aussi néfastes que la ruine et mener au désespoir. C'est pourquoi j'ai jeté inconsciemment cette phrase qui n'était sûrement pas très rassurante pour vous!

Carmen écoutait. Plus l'homme parlait, plus ses craintes se dissipaient, même si la volubilité de Joël lui parut un instant excessive. Mais elle comprit qu'elle avait devant elle un homme franc et loyal, tout d'une pièce, qui ne mentait pas, n'avait rien à cacher et qui, sans doute, voulait la réconforter.

— Tournons la page, Joël, n'en parlons plus. Merci de m'avoir tout dit, je dois vous avouer que j'ai eu peur! Et si nous mangions?

Joël rit encore, hocha la tête, lança de temps en temps un coup d'œil moqueur à Carmen, tout en feignant de s'intéresser au menu.

La conversation devint gaie. La jovialité de Joël enchanta Carmen, qui ne s'était pas trouvée en si charmante compagnie depuis très longtemps. Les propos étaient décousus. C'était visible, l'homme se détendait, retrouvait son calme, même si parfois son regard se fixait et qu'il semblait un instant troublé.

À un certain moment, il porta la main à son visage, se frotta les yeux, comme pour en effacer une image. Carmen ne put manquer de le remarquer. Elle posa délicatement la main sur le bras de l'homme et demanda:

— Ça ne va pas, Joël?
— Si, si, ça va.
— Vous êtes encore très bouleversé, ça se voit. Ce n'est pas facile d'oublier une chose comme celle-là.
— Une image plus affreuse que les autres ne cesse de me hanter et je ne parviens pas à la chasser de mon esprit.
— Essayez de me la décrire, c'est son geste qui vous a effrayé?
— Non, c'était inattendu, étonnant, bien sûr, dramatique aussi, mais ce qui m'a le plus cruellement marqué, c'est...

Il se taisait, semblait réfléchir. Cette fois encore, il porta la main à ses yeux, l'y retint, soupira, hocha la tête comme pour la vider de l'image. Carmen resta silencieuse, attendit qu'il poursuive, qu'il explique. Elle espérait de tout cœur qu'il exprime tout haut ce qui le tracassait ainsi; de cet aveu dépendait la libération de son esprit. Formuler, traduire avec des mots ce qui étreint opère parfois le miracle qui atténue une peine trop vive: c'est la magie de la communication. Et Joël entreprit de traduire sa pensée, il parlait lentement, à voix très basse, comme s'il s'adressait à lui-même. Ses propos décousus, ses balbutiements, traduisaient la profondeur de son désarroi.

— Tout à coup, il chancela, non, tomba, il ploya, il, il plia, il s'effondra, lourdement, doucement, mollement, inerte, tout à coup... tout à fait inerte, sans vie, sans... force, sans énergie, sans rien pour le retenir. Il s'affaissa, sa vie était partie, l'avait quitté, il passait de vie à trépas, une fraction de seconde... il quittait le monde, ce monde, il n'avait pas choisi de tomber là, mais c'est là qu'il... et je n'y pouvais rien, rien! Il s'affaissait pour la dernière fois, un ultime et dernier mouvement, dans son cas un mouvement de l'après vie: il quittait la terre en s'en rapprochant davantage!

Et Joël secoua la tête, la cacha dans ses mains. Carmen, impuissante, l'observait, gardait le silence, respectait sa souffrance, espérant fortement qu'il réussisse à exposer pleinement sa douleur, déversant ainsi le trop-plein de son angoisse oppressante.

Joël plaça ses mains derrière la nuque, renvoya la tête en arrière, allongea les jambes sous la table et, regardant loin devant lui, s'exclama:

— Quel triste sire vous accompagne, Madame!
— Un sire triste à l'âme délicate.
— Qui vous sait gré de votre indulgence et de votre compassion. Il faut me pardonner.
— De quoi? d'avoir réagi de façon humaine, sensible?
— Et de vous imposer d'aussi pénibles confidences.

Joël s'attaquait maintenant à la salade qu'on avait

déposée devant lui. Il grignota d'abord, du bout des dents, fit des efforts pour changer le sujet de la conversation. Il y parvint, son sens de l'humour aidant.

Les tables étaient toutes occupées, les rires fusaient, ce qui n'était pas sans aider Joël et Carmen à se détendre. L'heure passait, une fois de plus l'aile du temps qui bat prenait sur elle un peu de la vie de celui qui cheminait, l'éloignant de ce qui l'avait fait tantôt souffrir, temporisant sa peine en la sursoyant.

Le couple revint vers l'hôtel, bras dessus, bras dessous. Le calme de la nuit participait lui aussi, à sa façon, à adoucir les aspérités du moment.

Lorsque l'ascenseur atteignit l'étage de sa chambre, Carmen en descendit; Joël la suivit, après avoir prié le liftier de l'attendre. Rendue devant sa porte, Carmen s'arrêta, Joël lui donna un bec sur le front, lui pinça le bout du nez:

– Merci, à demain soir, j'espère.
– À demain, Joël.

Carmen ferma sa porte, secoua les pieds pour laisser tomber ses souliers. Le signal lumineux du téléphone clignotait, lui indiquant qu'elle avait un message. Inquiète, elle composa le numéro de la réception. De fait, un message y avait été laissé à son intention.

– Vous pouvez me le faire parvenir?

Elle enleva sa robe et enfila un peignoir. Puis, elle alluma une cigarette et attendit patiemment l'arrivée du chasseur.

Elle échangea un pourboire contre une enveloppe qu'elle ouvrit prestement.

Madame Minerve priait la jeune fille de l'excuser, le dîner qui devait avoir lieu le lendemain était reporté de vingt-quatre heures.

– Ouf! s'exclama Carmen, j'avais oublié cette invitation et donné rendez-vous à Joël, décidément je suis aussi très bouleversée.

Carmen se mit au lit, la soirée avait été épuisante, la fatigue se faisait sentir. Elle sombra bientôt dans un sommeil agité: une fois de plus le néophyte s'affaissait à ses pieds, cette fois dans un mouvement lent, au ralenti, beaucoup plus doucement que dans la réalité, presque avec grâce; influencé sans doute par le récit de Joël qui l'avait marquée, son inconscient changeait les faits réels. Le visage de Joël, celui de madame Minerve, les cartes qui allaient et venaient, tout tournait, tout se bousculait, le rêve empruntait à l'existence.

À l'étage, au-dessous, Joël cherchait en vain le sommeil; la tragédie ne cessait de l'obséder. De plus, une prémonition, une vague inquiétude, un sentiment nébuleux, quelque chose qu'il n'aurait su définir l'étreignait étrangement. Il finit par faire taire son pressentiment en l'imputant aux émotions de la soirée.

***

Cette nuit tragique porte la marque indélébile du destin qui frappe sans pitié, s'attaque à des êtres que seul le hasard a réunis, s'acharne à les poursuivre de ses pouvoirs, maléfiques pour les uns, condescendants pour les autres. Mais nul ne lui échappe, il distribue à chacun son lot de peines ou de joies, il n'épargne personne, même les innocents.

Pendant que Joël cherchait le sommeil, plus au nord, sur une route de l'Ontario, se produisait un drame épouvantable qui troublerait son existence, changerait le cours de sa vie...

Chapitre 9

L'homme s'est emporté, il est parti en claquant la porte. Impulsif, colérique à l'excès, Pierre marchait à grandes enjambées, furieux contre les siens. Il s'éloignait de cette famille qui tentait sans succès de mater son indiscipline. Il en avait marre des remontrances, même à mots couverts. Une fois de plus son père l'avait menacé de lui couper les vivres.

Pour la enième fois, il gagnerait la confiance d'un employeur, piquerait un tantinet dans la caisse, prélèverait de faibles sommes sur la monnaie à remettre au client, vendrait un outil qui appartenait au patron, menu fretin sans graves conséquences qui lui permettrait de végéter sans pour autant lui valoir des démêlés sérieux avec la justice.

Le trop-plein de sa colère tombé, il ralentit le pas. Une voiture au pare-brise couvert de poussière, en stationnement en face d'un motel, attira son attention. Il s'installa derrière la fenêtre d'un restaurant d'en face pour observer les environs.

Il avait de la veine, le client qui venait de quitter la table y avait laissé un gros pourboire; il s'empara des billets qu'il enfouit dans sa poche. Dans la serviette de table, il roula le pain qui était dans la corbeille, commanda un café fumant, puis se laissa aller à la rêverie. De tout cœur, il espérait que le propriétaire du gros bolide avait fait le plein; il irait vers l'ouest, ce coin de pays qu'il avait toujours rêvé de visiter, voyagerait de nuit, dormirait le jour sur les routes transversales; les sentiers feuillus ne manquaient pas, surtout si on évitait d'emprunter la route transcanadienne. Il traverserait villes et villages, avec un peu de chance il serait bientôt loin. Il lui restait à compter sur la chance pour qu'on ne signale pas trop vite la disparition de la voiture.

Ce fut pour lui un jeu d'enfant de s'introduire dans l'automobile, il n'en était pas à son premier escamotage; il aimait l'émotion que lui procurait ce genre de situation, ce petit picotement qui le tiraillait. Bien cambré derrière le volant, il quitta la ville, respectueux comme jamais du code de la route.

Après avoir traversé les limites de la ville, il stationna la voiture de façon à dissimuler la plaque d'immatriculation et fit l'inventaire du coffre à gant.

«Bénédiction du ciel! s'exclame-t-il, l'enregistrement de la voiture s'y trouve et mieux encore, une carte de crédit. Décidément, les gens font rarement preuve de sagesse et s'entêtent à ne pas mettre en pratique les judicieux conseils que leur dicte la ligue de prévention du crime.»

Il appréciait les lunettes teintées qui lui allaient à merveille, grignotait ses croûtes, et en compagnie de la radio qui le gardait en contact avec le reste du monde, Pierre fonçait vers l'ouest.

Le nom d'une ville à résonance française capta son attention: Belleville. Il s'y arrêterait pour faire le plein, utiliserait la carte de crédit et lorsque le réservoir serait à sec, il abandonnerait cette voiture pour une autre.

La route 40 se déroulait devant lui, il chantait à

gorge déployée, tambourinant de sa main droite sur la tableau de bord, au rythme de la mélodie.

Un coup de klaxon retentit... là, devant, une courbe abrupte... Pierre n'a pas tenu compte d'un panneau indicateur; le chauffeur qui le suit a tenté d'attirer son attention.

Pierre freina, tenta d'esquiver l'impasse, n'y parvint pas; la voiture dérapa, s'engouffra dans le ravin, pointa un instant dans le vide, fit quelques tonneaux; une terrible explosion s'ensuivit, un feu orangé s'éleva suivi de nuages de fumée noire à odeur nauséabonde.

Il ne restait rien de la voiture sauf une roue qui s'en était détachée et avait bifurqué de sa trajectoire. On retrouva aussi les verres teintés que portait Pierre et qui avaient été projetés au loin sous l'impact.

Cet accident aurait pu se résumer en un fait divers, ajouter aux statistiques, voilà qu'il dégénérerait en un véritable drame qui bouleverserait la vie de nombreux innocents.

***

N'eût été le fait que Pierre avait utilisé la carte de crédit qui se trouvait dans le véhicule accidenté, on aurait difficilement pu identifier la victime qui avait si brutalement perdu la vie.

Le témoin oculaire décrivait la voiture qui le précédait, il avait remarqué qu'elle portait une plaque d'immatriculation du Québec. Les verres retrouvés ajoutèrent du poids à l'enquête: le nom de Joël figurait maintenant sur la liste des personnes décédées.

Oui, Pauline Boissonneau connaissait ces verres fumés, ils avaient appartenu à son mari!

Non, elle ne saurait préciser si, de fait, il se trouvait en Ontario ce jour-là.

Non, il ne lui avait pas parlé de ce voyage.

Oui, elle savait qu'il s'absenterait car il lui avait laissé une note à cet effet avant de partir.

Non, ce n'était pas dans ses habitudes de fuguer.

Oui, il était en bonne santé au moment du départ.

Oui, il voyageait occasionnellement pour affaires.

La femme, sidérée, répondait aux questions sur un ton neutre, comme un automate. Elle ne parvenait pas à réfléchir, elle semblait tout à fait dépassée par les événements.

Elle restait là, immobile, fixait le mur devant elle.

Le policier complétait le dossier, Pauline n'avait aucune réaction.

Ce n'est qu'au moment où l'agent lui demanda si elle était seule à la maison qu'elle sursauta.

— Oui, mais je vais prévenir les enfants. Faites-moi une faveur, dit-elle en baissant les yeux: prévenez son associé. Elle déclina son nom et l'adresse du bureau de Joël situé au centre-ville de Sherbrooke.

Dès qu'elle se retrouva seule, elle sombra dans un

abattement terrible. Le sinistre accident dont Joël avait été la victime n'aurait pas pu être plus lugubre! «Joël! il a péri dans les flammes! Ce soir-là...»

Pauline se souvenait très bien de ce jour entre tous. La nouvelle de l'absence temporaire de son mari avait bien servi ses projets. Elle accompagnerait Maurice, qui avait insisté pour qu'elle le rejoigne sur un chantier où il allait faire un travail d'inspection.

Elle décida alors de reconduire la jeune protégée de son mari au foyer qui l'avait hébergée avant eux. Libérée de cette obligation, elle partit avec Maurice. Ensemble ils avaient passé la nuit: un frisson d'horreur la secoua. «Nous sommes punis!»

Soudainement elle se leva, une pensée morbide venait de l'assaillir, serait-ce possible? Joël aurait-il pu être informé de la romance qui existait entre elle et Maurice? Et, Joël... Ah! non, pas ça!

«Joël!» cria la femme dans son désespoir. «Joël, mon mari. Je t'aime, Joël.» Et la froide réalité lui apparut dans toute sa nudité... Elle imaginait le spectacle terrible de la voiture qui faisait une embardée, plongeait dans le ravin, les flammes qui s'enroulaient sous l'effet de l'explosion et Joël qui périssait, là, impuissant et seul, si seul!

Joël, habituellement si prudent, si logique, si rangé. Tout ça lui paraissait impossible, inacceptable, et pourtant!

Elle chercha la note qu'il lui avait laissée au départ, la relut. Sans cette note, tracée de sa main, elle aurait eu des doutes. Elle a reconnu ses lunettes de soleil trouvées sur les lieux, et puis il y avait ce témoin oculaire. Il lui fallait admettre ce qu'elle refusait de croire.

Pauline pleurait, se désespérait, elle avait mal. Puis elle pensa aux enfants, ses enfants à qui elle devait tout raconter; un frisson d'horreur la parcourut. Elle devait le faire, et tout de suite, avant qu'ils n'apprennent la triste nouvelle par d'autres sources. Cette heure était la plus amère de sa vie.

Les sentiments les plus contradictoires la tenaillaient. Pauline vivait un véritable calvaire.

Dès qu'elle parvint à mettre un peu d'ordre dans sa tête, elle téléphona à ses enfants et les pria de venir immédiatement. On voulait en savoir plus, le timbre de la voix laissait percer le dramatique de la situation. Mais Pauline ne trouvait pas le courage ni les mots adéquats pour leur apprendre de but en blanc la triste nouvelle.

Elle pensa à Diane qui étudiait à l'étranger. Elle appela outre-mer. Cette fois il lui fallait être plus explicite, Diane insistait. Pauline bafouillait, cherchait ses mots.

— Allons, maman, parle! Il s'agit de papa, n'est-ce pas?
— Oui.
— C'est grave?
— Très.
— Il est malade ou quoi.
— ...
— Il n'est pas mort? Dis, maman? Parle! Mais parle donc! Ce fut un cri perçant qui traversa l'océan et fit tressaillir Pauline.

— Oui, ma fille, oui, papa a été victime d'un tragique accident.

Il se fit un silence qui sembla durer une éternité, puis une voix froide articula des mots cruels:

— Je ne te le pardonnerai jamais!

Diane avait raccroché, Pauline restait là, médusée, incapable de réaction. Affaissée sur sa chaise, elle regardait l'appareil. La haine qui perçait dans la voix était plus éloquente que le sens des mots prononcés. Pauline était figée de stupeur.

À nouveau, le téléphone sonna. Pauline sursauta, prit le combiné: «Ce doit être Diane.» Mais elle entendit la voix de Maurice. Alors elle reposa brusquement l'appareil.

«Que sous-entend Diane? Qu'a-t-elle voulu dire? Pourquoi s'en prend-elle à moi? Qu'est-ce qui se passe dans sa tête?»

Voilà qui ajoutait au cauchemar de Pauline. Diane adorait son père d'un amour aveugle, presque une passion. Et ce, depuis sa plus tendre enfance. À l'encontre de ses autres enfants, il n'y eut jamais de transfert de cet amour que Pauline aurait aimé partager avec sa fille Diane. À l'adolescence, les choses s'étaient aggravées, ce cri du cœur n'exprimait pas un manque d'amour pour sa mère, mais bel et bien de la haine. «Pourquoi? Que lui ai-je fait?»

Le silence qui régnait dans la grande maison familiale était intolérable. Mais Pauline préférait cette solitude à tout; les enfants allaient arriver, elle n'était pas prête à les affronter. En la minute présente elle ne parviendrait pas à partager leur peine, elle ne saurait atténuer leur souffrance, trouver les mots pour les réconforter!

Elle entendit venir une voiture, les pneus crissaient sur le gravier de l'allée qui menait à la maison. Elle aurait espéré que son gendre soit là, qu'il accompagne son aînée, ainsi, ce serait moins pénible pour sa fille.

De là où elle était assise, Pauline avait une vue oblique sur la porte d'entrée. Des pas précipités se faisaient entendre sur la galerie. Pauline se crispa; derrière les vitres givrées, elle reconnut la silhouette de Maurice. Elle retenait sa respiration, n'osait bouger. Le carillon retentit à plusieurs reprises. Elle ne broncha pas.

Les pas de l'homme s'éloignaient. À travers les rideaux, elle le voyait faire le tour de la maison. Elle se glissa dans un angle afin de ne pas être vue et ne s'en éloigna que lorsqu'elle entendit démarrer le moteur de la voiture.

À nouveau le téléphone sonna. Pauline ne l'entendait pas. Et sa peine éclata, elle pleura à chaudes larmes, courut se réfugier dans sa chambre, se jeta sur son lit et laissa le désespoir l'envahir. Épuisée, elle s'endormit.

C'est dans cette position que ses enfants l'ont trouvée, le visage défait par son trop grand chagrin.

***

La nouvelle du décès de Joël se répandit comme une traînée de poudre. Les témoignages de condoléances venaient de partout. Joël, aimé de tous, avait laissé le souvenir d'un homme jovial, travailleur émérite, à la réputation enviable et enviée.

Diane parut enfin, récalcitrante comme jamais. Lorsqu'elle se trouva seule avec sa mère, elle ne lui adressa pas la parole, alla même jusqu'à la regarder avec dédain. Elle ne pleurait pas, tout au moins en sa présence. Par contre, elle prenait toutes les initiatives et s'occupait des funérailles de son père. Pauline se trouvait ainsi libérée de bien des préoccupations par trop pénibles.

Lorsque Maurice fut invité à prononcer quelques mots au sujet de son associé, Diane s'éloigna précipitamment. Pauline comprit, tout au moins soupçonna que Diane savait, qu'elle était au courant de sa liaison avec Maurice.

Mais elle ne trouva pas le courage d'aborder le sujet avec sa fille. Elle attendrait que le temps fasse son œuvre.

Pendant les jours qui suivirent, Pauline évita Maurice. Mais des obligations les liaient l'un à l'autre et, lentement, les liens se renouèrent. La solitude de Pauline était telle, son besoin de partager sa peine et ses tourments si grands que l'épaule de l'homme, de nouveau, se trouva là pour lui servir de refuge...

Chapitre 10

Là-bas, à Porto-Rico, le soleil était fidèle au rendez-vous, la vie poursuivait son cours. Certains réveils ont plus d'importance que d'autres car ils marquent l'aurore d'un jour qui influencera la vie de certains êtres, allant même jusqu'à infléchir leur avenir.

Les événements fortuits de la veille serviraient de point de départ à la fraternité des êtres qui vivaient entre les mêmes murs, se croisaient quotidiennement, mais que rien jusque-là n'avait réunis.

Madame Minerve avait ouvert son cœur généreux à Carmen angoissée. Carmen avait tendu une main secourable à Joël qui l'avait appréciée. Pour avoir obéi à leur pulsion intime, chacun d'eux avait permis au miracle de s'opérer.

Carmen ouvrit les yeux et dès lors les péripéties de la veille lui revinrent à l'esprit. Tout s'était déroulé avec une concordance telle qu'on eût dit qu'une force supérieure en avait orchestré l'enchaînement et avait présidé à son déroulement.

C'est avec reconnaissance que Carmen pensait à madame Minerve. «Peut-être s'inquiète-t-elle de moi comme je le fis pour Joël.» Voilà qu'elle s'étonne de penser à cet homme avec émotion. Hier encore elle ignorait jusqu'à son existence.

Carmen se sentait lasse, elle s'étira. Elle ferait la

grasse matinée. Un fait cependant lui échappait, c'était la première fois qu'elle n'était pas assaillie par l'obsession du jeu dès le réveil. Cette pensée ne l'effleura même pas.

Ce n'est qu'à la fin de l'après-midi, lorsque le temps fut venu de s'habiller pour le dîner, qu'elle constata avoir tout à fait oublié les gains faits la veille: les jetons accumulés se trouvaient toujours dans son sac. Elle s'étonna d'abord puis se surprit à sourire: c'était bien la peine de tant avoir espéré goûter le plaisir de gagner, d'avoir tant attendu et tant souhaité cet instant!

Elle vida le contenu du sac sur son lit, fit le calcul et, pensive, plaça les jetons sur sa table de chevet; cet oubli lui causait une grande déception. Se pouvait-il qu'un rêve, parce qu'il s'est réalisé, perde tout à coup son charme? Comme un ballon crevé qui se dégonfle? Comme un estomac rassasié après avoir crié famine? Ce qui expliquerait l'insatiabilité de l'être humain, son besoin de perpétuelles conquêtes? De succès nouveaux?

«C'est à cause des circonstances, pensa Carmen, avec tout ce qui s'est passé hier, c'est bien normal que j'aie passé outre à mes sentiments personnels.»

Elle choisit une robe dont le drapé seyant soulignait sa taille, escarpins et sac anthracite assortis, se para d'un collier de perles de Majorque dont le reflet empruntait au coloris de la soie; en un tour de main, elle noua ses cheveux, elle se mira, se sourit, l'image que lui renvoya la glace lui plut: «Tu es d'une beauté classique», lui avait un jour dit son père. Ce compliment n'avait jamais cessé par la suite de l'influencer dans le choix de ses toilettes. Oui, ce soir elle voulait être élégamment mise.

Elle se dirigea vers l'ascenseur, du bonheur plein l'âme; elle emprunterait le grand escalier pour atteindre le foyer. Elle appuya la main sur la rampe, l'y laissa glisser; le temps que dura la descente empruntait au merveilleux. Carmen était rayonnante, c'était un beau soir, elle se sentait légère, doucement heureuse.

Le foyer était presque désert, elle repéra Joël, qui l'attendait peut-être. Elle s'arrêta, l'observa un instant: il n'était ni petit, ni grand, ni beau, ni laid, ses tempes sont légèrement dégarnies, il était chic dans son complet sombre, avait un beau port de tête, une tenue impeccable; en un mot, sa belle et forte personnalité faisait tout son charme.

Il vit Carmen, il s'avança et tendit la main. Au moment d'entrer au casino, il inclina la tête vers sa compagne et lui chuchota: «Vous êtes ravissante.»

— Joël, avant qu'on s'attable, accepteriez-vous que nous fassions le tour des lieux, j'ai une curiosité toute féminine à satisfaire, je veux vérifier une certaine présence.

— Soyez mon guide, je vous suis.

— Vous jouez au baccara?

— Non, ça me semble bien compliqué. Je préfère le black-jack.

— Et les gobe-sous?

— Ces machines infernales, à appétit féroce! Que non.

Ils marchaient lentement, Carmen laissait errer son regard sur la foule élégante, jouissant du spectacle qui s'offrait à ses yeux.

— Les sacs du soir m'ont toujours fascinée.

— Vous êtes bien servie ici. Et que de pierreries!
— L'occasion est toute trouvée pour s'en parer, la mode, aujourd'hui, est d'un tel laisser-aller!

Carmen tâchait de repérer monsieur Lecourt, il ne se trouvait nulle part. Madame Minerve brillait aussi par son absence.

— Vous souriez.
— Ce serait long et difficile à expliquer.
— Vous voyez des sièges libres?
— Pas de ce côté, je présume que la table que vous occupiez hier vous attire, vous y avez été si bien servie par dame chance.
— Pas nécessairement, je ne suis pas superstitieuse.
— Ah! non! Et il pouffa de rire.
— C'est méchant, ça!
— Superstition, prémonition, induction et déduction, j'ajoute remords, indécision, regret et passion, sont le lot de tous les joueurs.
— Mais, je ne joue pas!
— Ah! non! rétorque Joël avec sérieux.
— Jamais! Enfin, je devrais dire rarement, en vacances seulement, donc occasionnellement.
— J'en déduis que vous êtes en vacances. Voyez, là, deux places se libèrent, nous y allons?

Carmen plaça un jeton de cent dollars sur le tapis; le banquier l'échangea et lui en remit vingt. Carmen hésitait. Le maître du jeu lui indiqua le placard qui se lisait: minimum cinq dollars.

— Ça ira, merci.

Et le jeu débuta. Le total des cartes de Carmen était de seize. La carte du banquier était un six. Ah! cet instant cruel de l'ultime décision, cette décision qui fait toute la différence, qui chiffonne l'estomac, fait palpiter le cœur; l'instant pourtant bref semble s'étirer démesurément. Carmen sentait les regards tournés vers elle. Comme elle occupait le dernier siège, de sa décision dépendait le sort des autres joueurs, ils attendaient qu'elle se décide, elle devinait leur désapprobation muette. Normalement elle aurait dû s'en tenir là mais elle avait le pressentiment qu'elle pouvait risquer, avait le désir de briser la convention.

— Une autre carte, s'il vous plaît.
— Zut! s'exclame un joueur.
— Vingt et un, tonne le banquier, en lui servant un cinq.

Carmen se détendit. C'était au tour du banquier de compléter son jeu. Il tira un dix. Merveilleux. Il devait atteindre dix-sept. Tous s'agitaient sur leur siège. Le banquier compléta sa pige et obtint un total de vingt-six. Ouf! Les joueurs se détendirent, Carmen riait sous cape. La maison devait payer tous les joueurs. Joël se pencha vers sa compagne et lui dit:

— Vous tentez le diable, c'est un couteau à double tranchant...
— Le diable m'a bien servie; sans mon intervention, ce cinq aurait fait le bonheur du banquier et le malheur des autres.

Les yeux de la femme pétillaient de malice.

C'était là un exemple typique de haute tension qui fait fermenter le goût du jeu chez ses adeptes.

— Chapeau! murmure Joël.

Carmen sortit son paquet de cigarettes, inclina la tête vers son compagnon.

— La fumée vous ennuie?
— Non, je fume aussi.
— Vous? Je ne vous ai pas encore vu griller une seule cigarette!
— Je suis en vacances, répond-il, narquois.

Leurs regards se croisèrent, ses yeux rieurs lui paraissaient très très bleus, intensément bleus, enveloppants, charmeurs. Carmen en fut émoustillée, plus, troublée... Sa pensée déviait tout à fait du jeu. Joël, taquin, ajouta:

— Vous savez bien que je suis en pleine cure de désintoxication: repos, brisure avec les mauvaises habitudes.

Au tour suivant, Carmen perdit sa mise. «Voilà, lui souffle la petite voix, perds la tête pour deux yeux bleus, prends des risques inutiles.» «Ah! zut, tais-toi.»

— À qui adressez-vous ces mots cruels?
— J'ai parlé tout haut?
— Non, vous marmonniez tout au plus, mais sur quel ton!
— C'est elle, là-haut, elle ne me laisse pas en paix, dit Carmen en pointant sa tête de l'index.
— Ça s'appelle la conscience, la prochaine fois que vous irez en vacances, laissez-la à la maison.
— Vous êtes un être vindicatif.
— Surtout plein de sens pratique.
— Soyons sérieux, laissez-moi me concentrer.

La belle humeur des nouveaux amis, leur sens réciproque de l'humour, les réparties gaies ajoutaient au plaisir d'être ensemble.

Deux sièges s'étaient libérés, qui furent aussitôt occupés par des jeunes filles fort enjouées. L'une d'elles avait les cheveux platine, fortement crêpés, bien enduits de colle, l'autre une crinière à la Bardot. Tapageuses, elles jacassaient comme des pies et ne cessaient pas de caresser Joël de leurs regards bien maquillés, mais pas assez pour masquer leurs intentions.

Joël, en bon chevalier, semblait ne rien voir de leurs manigances. «Pure maniaquerie», pensait Carmen, furieuse. Il lui prit une envie folle de s'accaparer de l'attention de Joël pour leur démontrer qu'il l'accompagnait. «Ah! Ah! s'exclama sa conscience, jalouse?»

Aphrodite tournait ses bagues sans arrêt, se pâmait, perdait ses mises avec une désinvolture qui frisait l'hystérie, c'était à croire qu'elle jouait à qui perd gagne. Bardot avait un petit rire, niais, nerveux, persiflant, énervant.

Le duel des yeux commença. Les joueurs s'impatientaient, le banquier précipitait la donne, peut-être partiraient-elles quand elles auraient perdu leur pécule. Allez donc! Seule l'indifférence de Joël les ferait fuir... Carmen surveillait leur manège, tout en essayant de bien suivre le jeu. Joël se pencha vers sa compagne:

– Laquelle des deux est, à votre avis, la plus aguichante?

Carmen le regarda, il gardait un visage impassible; elle avait la certitude qu'il rigolait intérieurement.

Bardot poussa Aphrodite du coude, en désignant le couple du menton. Et, comme par magie, le silence se fit.

— Filons, suggéra Joël.
— Lâche, lui répondit-elle avec le plus grand des sérieux, tout en récupérant ses jetons.

Elle sourit au croupier:

— Bonne fin de soirée.
— À vous pareillement, Madame, Monsieur.

L'amour-propre de Carmen s'en trouva flatté. Maligne, elle passa son bras autour de la taille de l'homme puis, méchamment, elle ne put résister à la tentation de jeter un coup d'œil narquois en direction des chipies.

Le banquier tourna la tête pour cacher le sourire qu'il ne pouvait réprimer. Carmen oublia madame Minerve, gros monsieur, son sac plein de jetons, le monde entier... «Mesquine», souffla la petite voix.

— Allons au *Café*, vous voulez bien?
— Une énorme pointe de tarte aux pommes, chaude, recouverte de crème fraîche épaisse, accompagnée d'une tasse de thé brûlant.
— Sans la crème, mais avec une tranche de fromage.
— Yum yum!

Ils étaient dans le foyer lorsque Carmen s'arrêta, pivota et entraîna Joël à sa suite.

— Venez.

Ils revinrent sur leurs pas et allèrent en direction du guichet. Carmen déposa les jetons devant le caissier et les poussa délicatement dans sa direction. Il les échangea contre de beaux billets tout neufs qu'elle plia et glissa dans son sac.

— Mes gains d'hier, dit-elle, avec fierté.

— Heureusement que vous n'avez pas eu le même pot ce soir, votre sac n'aurait pu tout contenir.

— Je vous aurais fait confiance...

Il lui sourit.

La nuit était d'une douceur enveloppante. Dès qu'ils eurent contourné le gros édifice fortement illuminé de néons multicolores provocateurs, les étoiles qui scintillaient là-haut leur apparurent dans tout leur éclat. Joël tenait la main de Carmen, la soie souple de sa jupe caressait ses jambes, elle se sentait délicieusement bien, détendue, l'âme en paix: elle était heureuse. Elle ne ressentait pas le besoin de parler, grisée qu'elle était par la béatitude du moment.

Le *Café* n'était pas très achalandé, ils se dirigèrent vers la même table qu'ils avaient occupée la veille.

— Et cette journée, Carmen, vous n'étiez pas trop lasse?

— Repos surtout, lecture et une heure de soleil. Et vous?

— Lorsque nous sommes entrés, hier soir, ce matin, devrais-je plutôt dire, un message m'attendait à ma chambre. J'ai passé quelques heures à répondre à des questions, à remplir des formalités concernant le tragique incident d'hier. Rien de bien agréable à se remémorer et à expliquer dans le détail, croyez-moi.

— Je suis désolée.

L'arrivée des gâteries fit heureuse diversion et ils changèrent de propos. L'un et l'autre semblaient éviter tout sujet personnel, une sorte d'entente, non exprimée mais implicite. Pourtant Carmen crevait de curiosité d'en savoir plus à son sujet.

— Vous pensez au travail parfois?
— Le contraire serait impossible!
— Vous vous baladez depuis longtemps comme ça?
— Neuf semaines et trois jours!
— Pardon?
— Vous avez bien entendu.
— C'est heureux que vous puissiez vous le permettre.
— J'ai un associé fidèle et dévoué, un célibataire endurci qui ne perd pourtant jamais une occasion de se détendre, de s'amuser et qui n'hésite pas une seconde à s'en remettre à moi en ce qui concerne les décisions compliquées. Il le fait toujours avec condescendance, comme si je devais m'en trouver flatté... Vous voyez le genre? Je ne m'en plains pas, j'avoue que ça fait partie de ma nature profonde de m'arrêter aux détails et de garder un œil vigilant sur toutes les activités de la maison. En outre, mon épouse est la secrétaire exécutive de la compagnie. Ce titre lui confère certains pouvoirs. Au moment de l'incorporation de la compagnie, elle faisait partie intégrante de l'affaire, elle en connaît donc tous les rouages. Elle a cessé momentanément de s'y intéresser lorsque nos enfants étaient jeunes et réclamaient toute son attention. Elle est hautement qualifiée et je lui fais confiance.

Carmen sentit le dard de la jalousie l'aiguillonner:

«Quel homme! pensa-t-elle, quelle femme comblée!»

— Le plus grand désagrément que peut lui occasionner mon départ est qu'elle doit sans doute sacrifier de nombreuses heures à passer sur le *green*; je suis certain qu'elle le fait sans amertume.

— Vous pensez à tout. Vous êtes sans doute un maniaque de la perfection.

— Il le faut, dans ma profession.

— Les chiffres? Disciple de Mercure?

— Qu'est-ce qui vous fait croire ça?

— Vos mains ne sont pas celles d'un manœuvre.

— Vous observez beaucoup. Non, pas les chiffres, mais le crayon 2H.

— C'est vrai? Plans et devis, alors vous êtes architecte?

— On ne peut rien vous cacher!

— C'était aussi la profession de mon père.

— Tiens! j'ai connu Pierre Laviolette, de Laviolette, Moreau et Larivière.

— Mon père.

— Vous êtes la fille de Pierre Laviolette? Il fut mon maître!

Et ils étaient lancés, un lien les unissait; ils évoquèrent souvenirs et anecdotes savoureuses. Joël, brillant causeur, amoureux de la vie sous tous ses angles, jovial, imbu d'une grande simplicité, enchantait Carmen.

Il lui parla de son travail, de ses projets, de ses espoirs, de ses ambitions, de sa famille.

— Votre longue absence ne les inquiétera pas trop?

— Non, ma fille aînée est mariée depuis peu et mon bébé étudie présentement en France. Quant à mon épouse, partagée entre le golf, le tennis et son club de bridge, l'élément temps ne compte pas beaucoup, au contraire, elle doit être ravie de ma décision; elle me prie depuis des années de prendre des vacances.

Carmen avait vidé le plateau qui contenait des picholines et des noix qu'on avait déposées sur leur table, pour accompagner les apéritifs sans doute.

— Vous avez faim?
— Non, mauvaise habitude, je grignote toujours ce qui me tombe sous la main, machinalement, sans y penser.
— Que diriez-vous d'un carafon de vin?
— Après quoi il faudra aller dormir.
— Sans faire escale dans l'arène?
— On qualifie le casino de tous les noms mais celui-là, je ne l'ai jamais encore entendu.
— N'est-ce pas le nom tout désigné car là se livrent des duels avec soi-même contre le hasard, la déveine, avec sa conscience, des luttes acharnées, à chaque minute... On dirait, à votre expression, que je vous scandalise!
— C'est que... mon amour du jeu ne va pas jusque-là.
— Vous seriez d'une pondération incommensurable?
— Oh! non, loin de là. Vous, Joël, vous aimez les jeux de hasard?
— J'en suis à ma première expérience, ma présence ici est due à un concours de circonstances. Je vous avoue que je n'ai pas de disposition naturelle pour tout ce qui est hors de mon contrôle personnel.
— Sage, alors?
— Peut-être trop rempli de moi-même, trop intransigeant... ce qui est loin d'être une vertu. J'aime dominer les situations.

— Et le défi?

— Je refuse de m'y soumettre sans nécessité. Je prends un soin jaloux de mon énergie que j'essaie de canaliser pour des choses qui en valent la peine. J'envie ceux qui réussissent à goûter les petits plaisirs de la vie, comme de courir toute une journée après une balle sur un terrain de golf, sous un soleil ardent. Je n'ai pas cette capacité de relaxation. Voyez-vous, Carmen, il me fallut très jeune lutter pour atteindre mes objectifs. Ce ne fut pas facile. Alors je suis demeuré exigeant avec moi-même. Ce qui ne m'empêche pas d'admirer ceux qui pensent et agissent autrement.»

Joël se tait, il semble réfléchir.

— Carmen, je ne sais pas si c'est dû à l'événement malheureux dont je fus témoin ou au fait d'avoir fui la routine et de m'être éloigné des miens, mais jamais encore je ne m'étais arrêté à tant de considérations. C'est une véritable prise de conscience face à ma vie personnelle.

— Rassurantes, ces réflexions?

Joël ne répond pas, à nouveau il plonge dans ses pensées. Puis son visage s'illumine:

— Je deviens gâteux à ressasser ainsi mes émotions profondes. Parlons plutôt de vous.

— Surtout pas! Ça menacerait de devenir taciturne.

— Tiens, tiens, enfin! Une toute petite faille dans votre épaisse carapace de femme forte...

Voyant que Carmen semble embarrassée, Joël change de sujet de conversation.

— À propos, ces personnages dont vous vous préoccupiez tant au début de la soirée, se sont-ils manifestés?

— Non et ça m'intrigue toujours.

— Ça ferait donc partie de votre nature profonde de vous soucier du bonheur des autres? Remarquez, je ne m'en plains pas. Sans vous, le soir du drame, je me demande encore quelles auraient été mes réactions, j'étais si profondément bouleversé! Et je le suis encore, à ce qu'il semble, ce qui expliquerait mon besoin de remise en question. Non, mais! je réagis comme un adolescent qui braille sur son sort! Quel triste compagnon je deviens!

— Vous, un triste compagnon! Parce que vous soulevez un peu le voile qui cache une grande âme, l'âme d'un homme honnête et droit? Disons que, tout au plus, vous avez un comportement humain, c'est une brisure, une rupture avec votre stoïcisme habituel.

— Avouez que j'avais besoin d'une oreille attentive et compréhensive. Vous vous êtes trouvée sur ma route, je vous en serai toujours reconnaissant.

Joël avait posé sa main sur celle de Carmen et regardait la jeune fille, droit dans les yeux. Celle-ci sentit une grande chaleur l'envahir.

— Nous nous reverrons demain? demande Joël.

Et Carmen parla de cette invitation de madame Minerve.

— Je vous avoue que l'invitation m'intrigue. Peut-être a-t-elle ressenti le besoin subit d'une présence à ses côtés.

— Ou vous lui avez plu. Vous êtes sans doute tombée dans ses bonnes grâces. Il semblerait que cette dame ait connu des heures de gloire; son salon était fort bien fréquenté. Elle réunissait chez elle le monde des artistes et de grands ténors auraient fait vibrer les vitres de sa maison.

Carmen sourit en se remémorant la scène de la veille: madame Minerve à la poursuite de Lecourt.

— Dites-moi, avez-vous remarqué un gros monsieur bruyant, qui fume constamment des cigares et s'attable tous les soirs au casino avec un air très morose?
— Oui, l'ennemi juré de madame Minerve.
— Vous croyez?
— À ce qu'on dit.
— Pourtant...

Et Carmen lui narra l'incident de la veille.

— En effet, voilà qui est intrigant.

Il la regarda et éclata de rire.

— Vous n'allez pas croire... oh! Carmen, à cet âge..
— L'amour est sans âge.
— Sans doute, là n'est pas la question. Mais ce sentiment doit vivre d'abord pour pouvoir se perpétuer.
— Pourtant, ce soir, ni l'un ni l'autre ne se trouvaient au casino...

Elle éprouva tout à coup un sentiment de gêne. Potiner n'était pas dans ses habitudes, elle tenta de faire bifurquer la conversation.

— Voilà que nous jacassons comme deux commères...
— Je vous ferai remarquer que commère n'a pas de masculin...

Il riait de bon cœur devant l'embarras de Carmen. Il posa sa main sur la sienne et se penchant vers elle murmura:

— Ne changez jamais!

Ah! Dieu que Carmen aurait aimé qu'il élabore, qu'il s'explique, qu'il lui confesse ce qu'elle lui inspirait de sentiments. Son trouble devait se lire sur son visage, car il y eut un silence qui se prolongeait. Carmen eut la cuisante impression qu'ils éprouvaient la même émotion, la même griserie.

— Venez, lui dit-il d'une voix basse et tendre.

Carmen se leva et se dirigea lentement vers la porte pendant qu'il réglait la note. Il vint vers elle d'un pas précipité, prit sa main et, en silence, ils revinrent vers l'hôtel. Ce soir encore, là-haut, Carmen s'immobilisa devant la porte de sa chambre. Joël lui pinça le bout du nez, mais elle n'eut pas droit à un baiser sur le front.

— Au revoir, Carmen.

Et il repartit à grandes enjambées. Elle le regarda s'engouffrer dans l'ascenseur sans qu'il ait eu un seul regard en arrière.

Elle ferma la porte et le bruit qu'elle fit opéra en Carmen une déchirure. Elle demeurait là, debout, grisée, fascinée, bouleversée, aux prises avec mille sentiments confus, partagée entre le charme de cette amitié sincère et la faim de la vivre de façon palpable, de la goûter en profondeur, de se laisser prendre et cajoler par elle...

«Si au moins ma conscience avait l'amabilité de me réconforter, de me féliciter de ma bonne conduite, ça me ferait un bien immense, mais l'ignoble, elle se tait.»

Carmen savait, elle sentait qu'elle venait de perdre l'occasion de grandes joies; tout son être frémissait, les désirs de la femme prenaient le dessus sur ses convictions. Elle savait que Joël l'aurait suivie si elle ne s'était pas stupidement immobilisée devant sa porte qu'elle maudissait maintenant. Elle se mit au lit en furie, fâchée contre elle-même, contre la vie, contre le monde entier. Le sentiment cuisant qui l'étreignait si fort lui faisait mal, l'empêchait de dormir. Même la literie, pourtant douillette, lui semblait inconfortable et elle n'en finissait plus de virevolter, s'empêtrant dans ses couvertures, vociférant: «Seule une petite fille, à son premier rendez-vous, aurait pu agir aussi sottement.»

Chapitre 11

Elle se réveilla tôt, maussade, aussi lasse qu'elle l'était la veille au moment de se mettre au lit. Elle commanda le petit déjeuner et fila vers la douche. Les bienfaits régénérateurs de l'eau chaude ne tardèrent pas à se faire sentir, dissipant peu à peu la fatigue, la ramenant à de meilleurs sentiments.

Elle se rendit chez un fleuriste, choisit trois délicates roses blanches à longue tige et les fit expédier à madame Minerve.

Malicieusement, elle décida de se rendre à la piscine. Peut-être Joël s'y trouverait-il? Son maillot lui semblait défraîchi, banal, insignifiant; ses cuisses ne lui avaient jamais paru aussi énormes et sa taille aussi épaisse.

— Quoi? protesta la petite voix, tu n'es pas satisfaite de la marchandise que tu as le goût d'offrir?
— Zut! Tais-toi.

Le soleil dardait. Les bikinis multicolores, de l'argenté au noir, s'étalaient à l'infini, les huiles à bronzer exhalaient des odeurs fortes sous l'effet des corps surchauffés. Elle s'approcha de la piscine et vit Joël, debout sur le tremplin, qui prenait son élan pour sauter. Son cœur bondit. Elle promena son regard, cherchant à repérer son idole et, tout à coup, elle vit émerger sa tête, sa belle tête qui s'ébrouait pour chasser les cheveux de son visage. Il la vit, sourit, nagea vers elle.

— Bonjour, lança-t-il, en se hissant hors de l'eau. Venez.

Une marre d'eau se formait sous ses pieds; elle lui tendit sa serviette: «Vite, cachez ce merveilleux corps que mes yeux ont l'indécence de scruter et un désir fou de croquer», pensa Carmen.

Joël noua la serviette en pagne autour de ses reins. Elle le suivit, il avait eu la délicatesse de lui réserver une chaise longue près de la sienne. «Ainsi, pensa-t-elle, il espérait que je vienne.» Et cette pensée lui fit chaud au cœur.

— Vous ne vous baignez pas?
— Non, pour m'éviter de perdre du temps précieux chez le coiffeur. Il y a ce dîner, ce soir.
— Qu'il fait bon! Je ne me suis pas senti en aussi bonne forme depuis bien longtemps.
— Alors ce sera bientôt le retour vers Sherbrooke.
— Hélas! toute bonne chose doit avoir une fin, mais je ne suis pas pressé de rentrer. De fait, hier j'ai téléphoné à la maison et n'ai pas obtenu de réponse, ce qui est heureux. Ça me prouve que la vie continue normalement là-bas. Ainsi je pourrai prolonger ces heures d'oisiveté auxquelles je prends goût, croyez-moi.
— Et vous vous priverez de manger les meilleurs *guedilles* de la province.
— Pardon?
— Ignorez-vous que c'est à Sherbrooke que l'on peut déguster les meilleures *guedilles* de la province?

Carmen dut s'expliquer, il ne savait pas de quoi elle parlait. Les yeux pleins de malice, il la regardait.

— Comment réussissez-vous ce tour de force?

— Je ne comprends pas...
— Un instant vous êtes primesautière, simple, naïve comme une couventine, l'instant d'après vous devenez ardente, femme, passionnée, d'un sérieux désemparant, d'une logique effarante; vous passez de la juvénilité à la maturité en véritable caméléon.
— Prenez garde à mon dard.

Carmen regretta sa phrase, Joël eut la délicatesse de riposter sur un ton badin.

— Un caméléon, avec ou sans dard, qui aime les *guedilles* ne saurait m'effrayer...

Un enfant passa près du couple en courant. Il trébucha et les arrosa de son seau rempli d'eau. Joël bondit, releva le bambin qui pleurait, le consola.

— Si je ne m'abuse, Joël, une lueur de tristesse assombrit votre regard en ce moment.
— C'est juste, Carmen. Je pense à ma jeune protégée, la petite Chantale.

Joël jouait distraitement avec la serviette dont il pliait et repliait les coins. Il semblait très loin, soucieux, inquiet peut-être.

— La vie, parfois, nous place dans de drôles de situations. On pourrait, bien sûr, ne pas s'y arrêter et passer outre, mais avec ma manie de me pencher sur les détails et de tirer des conclusions, je m'attarde immanquablement à ce qui m'a motivé et je ressens un besoin impératif de passer à l'action.

Joël s'était tu, une fois de plus plongeant dans ses réflexions. Carmen ne put s'empêcher d'établir une relation entre la tragédie qui les avait rapprochés et la prise de conscience qui poussait Joël à s'épancher, à se confier. Un instant elle se reprocha ses pensées de la veille.

— C'est la vue du bambin en pleurs qui a éveillé un souvenir?

— Jugez par vous-même. Un soir, un travail urgent me retint au bureau; je décidai d'aller manger un sandwich dans un restaurant, d'où je comptais téléphoner à mon épouse pour la prévenir de mon absence. Bref, je m'installai à une table et distrait par mes problèmes, je laissai errer mon regard tout autour sans vraiment voir ce qui s'y passait. Je commandai mon repas et me dirigeai vers le téléphone situé à l'arrière du restaurant. J'entendais un enfant pleurer, vous savez, ces larmes refoulées qui ressemblent plutôt à un gémissement. J'entendais, mais je ne voyais personne.

Une serveuse passa, je lui demandai d'aller vérifier les toilettes des dames et entrai dans celles des hommes qui étaient désertes. Je ressortis. La serveuse revenait avec une petite fille, je m'approchai.

— Tu es seule?

Elle ne répondait pas.

— Allez, dis-je à la serveuse, je m'occupe de l'enfant.

Et je parlai avec la fillette. Non, elle n'avait pas faim, mais elle avait peur. Enfin elle se confia. Elle était placée en foyer nourricier où elle subissait des sévices qui semblaient plus sérieux que ce qu'elle osait exprimer. Je ne sais pas pourquoi mais je lui demandai le numéro de téléphone de ce foyer.

— Je veux en parler à maman, me dit-elle, mais elle ne m'écoute pas. Regardez, elle lit toujours le journal quand elle me sort avec elle.

Je me penchai et vis une jeune femme plongée dans la lecture.

— C'est ta mère?
— Oui.

Cette fois j'insistai pour obtenir le numéro où je pourrais la rejoindre. L'enfant pleurait encore, tâchant d'étouffer ses sanglots.

— Va rejoindre ta maman. Je vais voir ce que je peux faire pour toi. Comment t'appelles-tu?
— Chantale Bousson.
— Va, Chantale, ne sois pas triste. Parle à ta maman, aie confiance.

Par la suite, je m'adressai à un bureau du service social pour leur souligner le cas. J'aurais dû m'en tenir à ça, mais cette histoire me tracassait et pour résumer, l'enquête s'avéra une sale affaire et l'enfant de huit ans nous fut confiée. Cette situation devait être temporaire, mais nous nous sommes attachés à la petite qui est toujours avec nous. Elle a certaines difficultés qu'elle surmonte lentement. Je m'inquiète pour elle. Elle me raconte ses peines; je crois que pour cette fillette j'incarne l'image d'un père et ce que cela peut représenter de sécurité et de réconfort.

— C'est une lourde tâche que vous vous êtes imposée, mais combien louable, me dit la préposée.
— La tâche est lourde pour mon épouse, je la comprends, elle a fini d'élever sa famille, c'est pour elle une

obligation supplémentaire, une certaine responsabilité à assumer. La différence d'âge entre Chantale et nos enfants est grande; Chantale, en somme, doit se sentir souvent très seule, surtout maintenant, en mon absence.» Joël hésita un instant puis reprit: «Croyez-moi, Carmen, ce n'est pas par caprice que je me permets cette halte, ma lassitude était si grande qu'elle dégénérait en insomnie. Le stress peut mener très vite à la dépression. Je commence à peine à pouvoir enfin me détendre et penser clairement. Puis c'est la saison morte au bureau.

— Ne vous évertuez pas à multiplier les excuses, Joël, je suis sûre et certaine que votre décision était mûrie. Vous avez été sage de prendre un repos qui vous sera salutaire et ne pourra que vous aider à poursuivre ce que vous avez à cœur d'accomplir.

— Comment expliquer qu'on prenne tant de temps à comprendre ce qui nous arrive? Peut-être est-ce dû au fait que l'on est soi-même concerné?

— C'est une question de personnalité, je ne crois pas exagérer en soupçonnant que vous exigez beaucoup plus de vous-même que des autres... Les cadres, c'est reconnu, sont plus exposés que les subalternes à la tension et au stress, c'est une question de dosage des responsabilités.

— J'ai souvent pensé ainsi, ça me paraît bien prétentieux et souvent exagéré quand je fais un bon examen de conscience... Carmen, merci. Il est bon de parler avec vous, vous êtes humaine et compréhensive.

Carmen baissa la tête. Elle ne put s'empêcher de donner raison à Joël. On est beaucoup plus lucide quand il s'agit de comprendre les autres que soi-même. Elle le connaissait, ce dilemme, elle était aussi bouleversée par ses problèmes personnels, elle luttait, aux prises avec des troubles de comportement qu'elle ne parvenait pas à circonscrire, à analyser, à saisir. Mais ce n'était ni l'endroit ni l'occasion de s'épancher et elle ne voulait surtout pas jeter d'ombre sur l'amitié naissante qui la liait à Joël.

Suivit un long silence. Le soleil continuait de prodiguer ses caresses mais avec une ardeur décroissante: Carmen consulta sa montre-bracelet.

— Il me faut vous quitter, Joël. Je vous en prie, ne vous dérangez pas.
— Au revoir, Carmen.
— À ce soir, si ce dîner ne s'éternise pas.

Carmen s'éloigna, le cœur heureux.

***

La jeune femme hésita au moment de choisir la toilette qu'elle porterait pour ce dîner; madame Minerve, étant toujours tirée à quatre épingles, serait sûrement élégamment vêtue, ce soir.

Elle opta pour une tenue grise à éclats de blanc, souliers et sac en harmonie, piqua sur le corsage une épingle ornée de saphirs et enfila à son doigt une bague assortie.

Elle consulta le bristol de madame Minerve et se dirigea vers sa suite. Il était sept heures pile lorsqu'elle frappa à sa porte.

Madame Minerve l'accueillit avec un grand sourire, lui serra la main qu'elle garda dans la sienne et la conduisit devant une photo près de laquelle avaient été déposées les trois roses blanches reçues plus tôt.

— Monsieur Minerve, expliqua la dame. Merci pour votre délicate attention... merci d'être là.

Elles traversèrent le salon de style Régence aux tapisseries magnifiques.

— Tout ça est un peu lourd vu la dimension de la pièce, ne trouvez-vous pas?
— Tant de recherches surprennent un peu dans un édifice aussi moderne, mais ce n'est pas sans charme, répliqua Carmen, qui crut surprendre un sourire narquois dans le regard de la dame.
— J'ai faim, dit-elle. Vous aussi, j'espère.

Elle désigna un fauteuil. Soulevant un dôme en argent qui cachait l'entrée, elle le déposa sur la desserte.

Des écorces d'agrumes, posées sur des glaçons, servaient de contenants à une grande variété de garnitures. L'hôtesse prit une biscotte, l'enduisit de fromage crémeux qu'elle puisa dans la coupe d'un pamplemousse, le couvrit de caviar extirpé de la coquille du demi-citron, ajouta de l'oignon rouge finement découpé, du blanc d'œuf finement émincé et parsema le tout de jaune d'œuf en riz qui dégorgeait de la coupe d'une orange. Avec le sourire, elle offrit le canapé à son invitée et en prépara un deuxième pour elle-même.

Carmen l'observait en silence. Elle admirait la dextérité et la grâce avec lesquelles elle accomplissait le cérémonial qui lui rappelait le chanayu, la très solennelle cérémonie du thé selon les coutumes japonaises.

— Vous aimez? Le caviar iranien est un cadeau du ciel. Je vous sers du vin?
— Deux doigts, merci.

Madame Minerve tira la bouteille du seau à glace où il rafraîchissait et le couvrit d'une serviette de toile d'un blanc immaculé. Un grand cru: Château Margot, 1929.

— Vous me gâtez! jeta Carmen.

Le même sourire amusé traversa le regard de madame Minerve.

— À mon âge, on mange peu, on boit encore moins, alors il est préférable de choisir le nectar des dieux; s'ils sont sincères, ils nous donneront l'éternité en retour...

Au menu figuraient ensuite des ortolans sautés garnis de confiture de groseilles, de légumes en purée dissimulés sous une pluie de noix finement broyées. Une glace tutti frutti couronnait le tout. Les propos tenus jusqu'alors étaient plutôt mondains, des coq-à-l'âne qui, Carmen n'en doutait pas, servaient de préambule à de plus sérieux discours.

En versant le café, madame Minerve suggéra:

— Parlez-moi de vous, chère Carmen.
— J'ai bien peur de vous décevoir, ma vie est sans histoire.
— Vie heureuse, alors?
— Oui, un grand bonheur, tout simple.
— Jamais mariée?
— Non, mais il s'en fallut de peu. Je fus fiancée, mais il me parut plus sage de rompre l'engagement.
— Que reprochiez-vous à ce maladroit?
— Son inappétence m'inquiétait, il se désintéressait de tout, manquait d'enthousiasme, pinaillait sou-

vent, il était déroutant, ça me faisait peur; j'aime la spontanéité, les éclatements. Paul était... disons essentiellement matérialiste, ne laissait pas vibrer son cœur.

— Votre décision fut sage, vous avez bien fait de l'éconduire. Un être qui n'est pas satisfait de lui-même ne saurait donner le bonheur.

Emportée par sa verve, madame Minerve ne tarissait plus. Elle parlait de sa vie de couple, louangeait son époux, s'étendait sur un sujet qui lui tenait à cœur: le bel amour qu'ils avaient vécu. Elle portait son mari au pinacle.

De temps à autre, elle sollicitait l'opinion de la jeune fille, ce qui donna l'impression à Carmen qu'on la jaugeait.

Madame Minerve parla de leurs courses folles de par le monde. «Nous étions de véritables globe-trotters», dit-elle avec nostalgie. Elle relatait certains souvenirs cuisants, dont sa première nuit passée au casino de Monte-Carlo, là où elle reçut une sérieuse mise en garde contre les jeux de hasard et les griffes puissantes des casinos.

— Je n'oubliai jamais ces précieuses directives, malgré mon insouciante jeunesse d'alors.

Madame Minerve mentionna le casino de Beyrouth. Elle ferma les yeux:

— 1966, l'opérette *Mawal*, un carrousel d'enchantements pour l'œil, un régal pour l'ouïe, harmonie et cadence, un spectacle émouvant, vivant, coloré. Imaginez, mon petit, plus de trois cents représentations, dans les cent mille spectateurs! Le Liban, la grâce, la beauté, un pays qui chantait l'amour!...

Madame Minerve s'assombrit, soupira puis secoua les épaules, comme pour chasser ses tristes pensées. Elle venait sans doute de revivre de doux souvenirs, trop doux, de ces souvenirs qui dégénèrent parfois en regrets.

Carmen respecta le silence qui suivit, la vieille dame glissait l'index sur les rangées de perles qui ornaient son cou, lentement presque religieusement, comme si elle espérait d'elles une consolation ou un miracle.

Puis, madame Minerve fit bifurquer la conversation, de façon subtile mais courtoise, elle incitait maintenant Carmen à lui révéler certaines anecdotes de sa vie privée, dont cette soirée passée au Golden Mugget, le casino huppé de Londres. «Mon père m'y accompagnait, ce qui sans doute me valut ce privilège.»

Enjouée, Carmen ajouta:

— Mais je préfère l'homme croupier à la femme, si élégante, si habile soit-elle.

Madame Minerve sourit; la réflexion lui plaisait. Carmen parlait de son père, de sa mère, de sa situation en tant que fille unique. L'hôtesse aiguillonnait l'épanchement de son invitée, questionnait adroitement.

Sans qu'elle puisse l'expliquer, la dame devint subitement morose. Carmen se pencha, chercha son regard.

— Vous voilà subitement très mélancolique!
— Oui, oui, mon enfant, répondit-elle sans plus.

Elle secoua les épaules, comme pour en chasser un poids trop lourd, sourit et aborda un sujet très délicat:

elle voulait savoir pourquoi Carmen fréquentait les casinos, elle jeta seulement:

— Vous ne semblez pas jouer nécessairement pour gagner.
— Vous avez parfaitement raison.

Carmen s'efforça d'exprimer ce qu'elle ressentait et ce qui l'attirait dans ces lieux. L'analyse de ses propres sentiments la surprit. Elle en vint à la conclusion que les défis à relever, minute après minute, et l'état d'euphorie dans lequel ce jeu la plongeait, la fascinaient. «De plus, le jeu me donne la sensation de me mettre à l'épreuve, de façon solitaire, de voir jusqu'où je peux réprimer mes émotions et garder mon sang-froid. Jouer, c'est tout oublier, c'est s'isoler du monde, c'est vaincre les pressions extérieures et se gargariser de son emprise sur les éléments étrangers. J'aime aussi l'ambivalence des situations, l'ambiance qui règne dans ces lieux où la passion côtoie la raison.»

Carmen se tut, un fait nouveau surgissait dans son esprit, auquel elle n'avait jamais pensé.

— Madame Minerve, croyez-vous qu'il soit possible que mes prédispositions à ce goût de jouer puissent avoir pris naissance dans ma jeunesse? J'étais fille unique, comme je vous le disais plus tôt. J'ai toujours eu le sentiment que je ne prenais jamais de décisions seule, librement, sans pressions extérieures. Mes parents devançaient mes désirs, tâchant ensuite de me faire croire que je les avais exprimés, sans doute pour ne pas réprimer ou brimer mon initiative personnelle, ma liberté de faire ou d'agir. On me guidait, me consultait, s'efforçait de m'éviter tout problème, toute inquiétude, on aplanissait toutes difficultés sous mes pas. J'eus donc une enfance calme et heureuse. Mais lorsque la mort me ravit mes parents, je me trouvai totalement désemparée, perdue. Et, une nuit, au casino, j'eus tout à coup à me débattre avec moi-même, je dus me prescrire certaines règles afin de ne pas dilapider ce qu'ils m'ont laissé. J'ai développé alors une conscience sévère, scrupuleuse, constamment en éveil et que je ne parviens pas à faire taire quand je suis dans les environs d'un casino.

Madame Minerve souriait; elle avait appuyé la tête sur le dossier de son fauteuil et écoutait religieusement.

— C'est possible, vous savez. Vous avez besoin de ces petits défis, de ces luttes intérieures pour vous éprouver.

— Ça, alors! Ce serait... ça!

— Vous jouez souvent?

— Non, en vacances seulement; je m'en fais un point d'honneur. Mais je dois avouer que, lorsque j'ai choisi cet endroit, je savais qu'il s'y trouvait un casino.

— Ce fiancé, vous l'aviez déniché où?

Carmen en avait le souffle coupé. Elle hésita à répondre. À ça, elle n'avait pas pensé, elle avait rencontré Paul à l'hippodrome...

— Ne dites rien, n'ayez plus de regret. Vous savez, mon enfant, je vous ai observée le soir où la chance semblait s'acharner à vous plaire. Je devinai votre lutte intérieure, je vous admirai. Mais aussi j'eus peur, vous êtes si jeune! J'ai vu tant de vies gâchées à cause de ces petits jetons sans valeur pour lesquels plusieurs vendraient leur âme. Vous avez vu le drame de ce garçon qui s'est étendu à vos pieds, sans vie. Et...

Elle ferma les yeux, lorsqu'elle les rouvrit ils étaient embués par les larmes.

— Vous vous êtes sans doute demandé pourquoi j'avais remis ce dîner; c'est qu'un autre drame se préparait ce soir-là; j'en remercie le ciel, j'ai tenté de le contrer. Je soupçonnai une connaissance de vouloir abréger ses jours, pas nécessairement à cause du jeu, mais ici, en ces murs. J'en suis encore profondément ébranlée, il est maintenant à l'hôpital et, je le souhaite, hors de danger. Les casinos sont des endroits mystérieux, pleins de surprises pas toujours heureuses. Je vous ai invitée chez moi pour vous faire une mise en garde, mais il me fait plaisir de constater que vous êtes avertie et consciente. Le jeu ne doit pas être plus qu'une occasion de divertissement, d'un goût de mondanité à satisfaire; les casinos sont des endroits huppés à fréquenter, rien d'autre.

— Et ces toilettes, l'élégance, l'étalage de bijoux, cet éclairage diffus, ces salles enfumées, ces regards furtifs, ces visages passionnés, tout coïncide à exacerber le plaisir, à aiguiser la curiosité.

— Quant à moi, qui ai perdu mari, amis, qui n'en finis plus de vivre et de vieillir, je retrouve ici un peu de mon passé, du faste des beaux jours. Depuis très longtemps, je ne m'étais épanchée aussi librement que je l'ai fait ce soir. Je vous en suis reconnaissante.

Carmen voulut protester, madame Minerve l'en empêcha et enchaîna:

— En vous voyant, dès la première minute, une pensée cruelle m'envahit: si j'avais eu une enfant, j'aurais souhaité qu'elle vous ressemble, à tous les points de vue. Vous avez gagné mon cœur d'emblée. Aussi je vous ai observée, craignant à chaque instant que vous

vous égariez. Mais vous ne m'avez pas déçue, et vous venez de me prouver que j'avais eu raison. Vous êtes franche, loyale et sincère. Voilà que je deviens gâteuse, que je néglige mes devoirs d'hôtesse, que puis-je vous offrir?

– Une promesse, faites-moi une promesse.

– Laquelle?

– De demeurer toujours aussi rayonnante, gaie et altière, de penser à moi, de me garder un petit coin dans votre grand cœur doré.

Madame Minerve tendit les mains, Carmen marcha vers elle, la serra sur son cœur, et tendrement essuya une larme qui perlait à ses cils.

– Merci, Carmen, merci. Que Dieu vous rende la joie que vous m'avez apportée ce soir.

Carmen quitta madame Minerve à regret. Cette soirée, empreinte de douceur, l'avait aidée à faire le point avec elle-même. Elle avait oublié Joël et le casino. Elle se dirigea vers sa chambre, n'ayant qu'un désir en tête: repenser à tout ce qui s'était dit, méditer.

«Ai-je été tout à fait franche? Peut-être aurais-je dû ouvrir certaines parenthèses et avouer quelques-unes de mes faiblesses face au jeu. Elle n'est sûrement pas sans avoir vécu les mêmes expériences; des déboires, au casino, tous en ont.»

Elle sourit au souvenir d'une phrase entendue un soir, à Porto-Rico. «Bien sûr, on ne taxe pas le gain du jeu, et pour cause, ce serait tenter de taxer le néant chez la plupart de ses adeptes.»

Carmen enleva sa robe, se drapa dans son peignoir,

enfila ses mules, se cala dans un grand fauteuil et repensa à tout ça.

«Je ressens un grand bien-être, je suis réconfortée, heureuse. Je suis libérée d'une inquiétude qui me rongeait depuis si longtemps. Ce soir, à travers la conversation que j'ai eue avec madame Minerve, j'ai compris, je ne suis pas le *gambler* indomptable que je croyais être; la mise au point est faite; j'étais à la recherche d'une identité, je voulais m'affermir, je jouais dans un but précis, ce que j'ignorais, et les casinos étaient peut-être l'endroit désigné pour me mettre à l'épreuve.

«L'état d'incertitude dans lequel je sombrais pendant des heures provenait du fait que je n'obtenais pas de réponse immédiate aux doutes que mes résultats suscitaient: personne n'était là pour m'approuver ou me désapprouver... d'où mes erreurs, mes hésitations, ces dilemmes intérieurs. Toutes les décisions venaient de moi, de moi seule, sans influence aucune. D'où sans doute ces transes, l'angoisse, l'anxiété, tous ces sentiments confus que je ressentais.

«J'ai eu peur, j'ai eu si peur d'être une joueuse enragée, incapable de se contrôler, qui tôt ou tard tomberait dans le marasme par manque de retenue. J'hésitais à mettre les pieds dans le casino, en bute à la peur de perdre la tête et de me laisser aller à ma passion sans vergogne. Ce que, je peux bien l'avouer, j'ai fait à plusieurs reprises.

«Ce soir, j'ai compris. Voilà pourquoi ma conscience s'interposait avec tant de vigueur, m'occasionnant tant de déchirements; j'étais en conflit avec moi-même, à la recherche constante d'un point d'appui.

«Je me souviens, depuis ma plus tendre enfance, j'ai toujours eu ce besoin cuisant de me sentir approuvée, je me conduisais en bonne petite fille aimante afin d'obtenir cet ultime réconfort.»

Un souvenir précis lui traversa l'esprit; ses parents, devant s'absenter, l'avaient confiée à un internat sous la garde des religieuses. À la suite d'un mauvais coup, elle fut réprimandée: sœur Cunégonde jeta: «Dieu vous punira pour votre orgueil et votre entêtement», ce à quoi Carmen répliqua du tac au tac: «Et je suppose que c'est vous qui Lui en donnerez l'ordre car vous semblez détenir l'autorité suprême.»

Elle regretta son impertinence, préoccupée à l'idée d'avoir à s'expliquer avec sa mère si on daignait l'avertir de sa fredaine; elle s'efforça d'être très sage.

Lorsque vint le moment des explications, Carmen redouta la colère de sa mère horrifiée qui relatait les faits à son mari. Mais la fillette détecta le sourire amusé de son père; dans son regard brilla une pointe de malice qui balaya aussitôt toute inquiétude.

«Qu'elle était douce, cette complicité tacite de papa!»

Le soir de son vingtième anniversaire, ils se trouvaient ensemble à Londres. Le père acquiesça à un de ses désirs, il l'accompagna au casino. C'est là qu'elle avait ressenti pour la première fois la griserie des jeux de hasard. Mais ce détail, elle ne l'avait pas confié à madame Minerve.

Il se tenait gentiment à l'écart, comme un ange gardien, pensa Carmen, qui décida de ne pas abuser de tant de délicatesse. «Je te félicite, ma fille, d'avoir assez de discipline personnelle pour savoir t'arrêter, même quand tu gagnes. La passion du jeu est une autorité funeste qui anéantit celui qui se laisse dominer par elle.»

— Moi, papa, jamais!

Elle s'était éclatée d'un grand rire jeune et frais, ignorante qu'elle était des luttes qu'elle aurait à soutenir plus tard, mais depuis, combien de fois elle repensa à ces mots qu'il avait prononcés, comme ça, sans arrière-pensée, comme il l'aurait fait pour parler de la pluie et du beau temps...

«La passion du jeu... celui qui se laisse posséder par elle. Non, ce n'est pas mon cas, je suis réaliste, je sais freiner mes ambitions...

«Madame Minerve a su toucher du doigt ma faiblesse réelle. Je vis en solitaire, trop. Est-ce là une facette de la nature profonde du joueur? La chère dame voulut sans doute me servir une mise en garde, elle me questionnait adroitement, mais pourquoi? Pourquoi s'est-elle attardée à moi, comme une mère, une amie? Jamais elle ne saura le bien qu'elle m'a fait! Je me sens si heureuse, si soulagée, elle m'a aidée à comprendre, à décortiquer l'énigme qui me hantait depuis si longtemps. Suis-je enfin délivrée?

«Ainsi, ce soir, je pourrais me rendre au casino et je ne succomberai pas à la tentation. Voilà qui m'aide à mettre de l'ordre dans ma vie. Et ce n'est pas trop tôt!»

L'occasion qui lui avait été donnée de s'épancher, d'exprimer tout haut ce qu'elle ne réussissait pas à démêler dans sa tête la plongeait dans un état béatifique qu'elle n'avait pas connu depuis très longtemps. Sereine et détendue, elle laissait errer ses pensées dans le jardin fleuri de son enfance.

Une image du passé refit surface: sa mère, souriante, s'avance dans une robe de lamé d'argent, son père lui recouvre les épaules de sa sortie de bal de velours noir doublée de satin grenat, elle enfile ses longs gants, ouvre son sac, en sort un flacon de parfum, le hume, en humecte son corsage, se penche vers Carmen. Soudainement la parure de velours se gonfle, comme un ballon magique d'où émerge le visage de sa maman, qui lui sourit et du bout de son doigt ganté lui badigeonne les lobes des oreilles en lui murmurant tendrement: «Sois sage, mon ange.»

Il semble à Carmen qu'elle les voyait encore s'éloigner, bras dessus, bras dessous, comme dans les livres de contes illustrés: «Maman est une fée, papa son prince charmant...»

La jeune fille se glissa entre ses draps frais, heureuse, calme. Aucun regret ne l'assaillait, aucune obsession ne la tiraillait, elle était en paix, en paix avec elle-même, en paix avec la vie. Carmen glissa paisiblement dans un sommeil profond.

***

Le climatiseur ne permettait pas de se faire une idée de la température extérieure; Carmen sortit sur le balcon, le soleil était radieux. «J'irai manger sur la terrasse.» Elle s'attarda à regarder les baigneurs s'ébattre; les enfants semblaient s'être donné comme mission de vider la *pataugeuse*.

Carmen enfila une robe blanche à jupe ample, des souliers bas, piqua quelques fleurs dans ses cheveux. Elle était heureuse, détendue.

Elle traversa le hall, croisa Joël.

— Bonjour, lança-t-elle gaiement.
— Bonjour, Carmen. J'allais me promener dans les jardins, vous m'accompagnez?
— Puis nous irons manger.
— Oh! Oh! on a fait la grasse matinée!

Joël guidait Carmen, il voulait lui faire partager le plaisir que lui avait donné la découverte d'un magnifique jardin dissimulé derrière une haute haie. Une ouverture pratiquée dans les bosquets donnait accès à une pergola couverte de fleurs tropicales; par-delà, talus, sentiers tortueux, bassins d'eau, fontaines, cascades, le tout agencé de façon superbe, hibiscus et mimosas se côtoyaient pour ceinturer l'enceinte.

— C'est superbe! On dirait une réplique miniature des jardins d'Esté, dit Carmen d'une voix basse, sans doute impressionnée par la quiétude des lieux.

Elle s'arrêta, enleva ses souliers et se dirigea vers un ru qui serpentait paresseusement.

— Oh! l'eau est très, très froide.
— De source, sans doute.
— Je ne l'aurais pas crue aussi profonde.
— Illusion créée par sa limpidité.
— Carmen posa le pied sur une pierre en bordure du ruisselet.
— Venez m'aider, Joël, donnez-moi la main.
— Ne bougez pas, ne bougez plus.

L'homme ferma les yeux.

– Je veux garder en moi l'image que vous m'offrez présentement; vous êtes ravissante, vous êtes rafraîchissante.

Il s'approcha, lui tendit la main. Carmen sortit de l'eau, se pencha, remit ses souliers et secoua la tête pour repousser ses cheveux qui lui cachaient le visage. Une légère brise caressait les fleurs, empruntait leur parfum et en embaumait l'air.

– Comment expliquer un site aussi enchanteur et si habilement dissimulé, dans un endroit aussi fréquenté?
– Caprice d'un philanthrope, ou d'un amoureux d'une femme...
– Ou de la nature...

L'un près de l'autre, se tenant par la main, ils se promenaient dans les sentiers tortueux, en silence, comme si la joie d'être ensemble suffisait. Le calme et la beauté des lieux ajoutaient à la griserie.

Au moment de s'engager sous la pergola, ils s'arrêtèrent un instant et jetèrent un dernier regard sur l'oasis fleurie.

Joël désigna de la main des palmiers royaux:

– Ils sont beaux.
– J'aime la musique de leur abondante chevelure quand le vent l'agite.

Se dirigeant vers la terrasse, ils s'installèrent à l'ombre d'un parasol, où leur fut servi un frugal repas.

Carmen observait discrètement Joël qui, lui semblait distrait, comme si sa pensée était ailleurs, très loin. Voulant faire diversion, la jeune femme évoqua la soirée de la veille passée auprès de madame Minerve dont elle lui vanta les mérites.

— Elle est d'une élégance! Il fallait voir l'art consommé avec lequel elle garnissait un à un les canapés. J'admire cette grande dame qui, malgré son âge avancé, continue de demeurer coquette, à afficher le sourire. Ça l'amusa beaucoup de m'entendre lui relater une remarque que m'avait faite mon père, autrefois, au sujet de la passion du jeu.

Carmen devint un instant pensive.

— Vous en êtes venue aux confidences.
— Oh! vous savez, le jeu...

Joël sourit, Carmen livrait le secret de sa pensée.

— Ne souriez pas, le jeu ne me hante pas outre mesure.
— J'en suis sûr.
— Je me le suis prouvé, mille fois.
— Mille fois! Ne trouvez-vous pas que c'est plutôt souvent?
— Dites donc, vous et ma conscience, vous seriez-vous donné le mot pour me culpabiliser?

Ce disant, Carmen laissa tomber ses souliers, remonta ses genoux sous son menton; les pieds appuyés contre le bord de sa chaise, elle drapa ses jambes de sa jupe circulaire et lança gaiement:

— Hier, j'ai soupçonné cette dame de m'avoir

cuisinée; candidement, j'en suis venue aux confidences, ce qui m'a permis de mettre de l'ordre dans mes idées, de me réconcilier avec moi-même. Non, je ne ressens plus de culpabilité.

Mais la pensée distraite de Joël empêchait celui-ci d'entendre les discours de la jeune fille.

— Vous êtes adorable! Regardez-vous, une couventine, il ne vous manque que les nattes dans le dos!

Carmen rougit, elle s'était un instant départie de ses belles manières et de sa rigidité habituelle. Elle s'était laissée aller à la désinvolture, sous la pulsion de son état d'âme réjouie. Joël se pencha vers elle, la toucha presque.

— Merci, Carmen, je n'aurais jamais rêvé de faire une rencontre aussi agréable; vous êtes une très charmante compagne. Vous m'avez permis de me détendre, de m'évader de mes préoccupations personnelles; je goûte chaque minute de repos.

Il se leva brusquement, contourna sa chaise et dit doucement:

— Aurons-nous la joie de passer la soirée ensemble?

Carmen sourit, Joël s'éloigna rapidement.

«Passer cette soirée ensemble... il l'a déjà dite, cette phrase, peut-être attache-t-il beaucoup d'importance à l'idée...»

La jeune fille, troublée, le suivit des yeux jusqu'à ce qu'il ait disparu de son champ de vision. Il allait, d'un pas rapide, déterminé, la tête légèrement inclinée. Il a du caractère, de l'autorité, ça se voit dans sa démarche. Il a l'allure fière de l'homme fort, de l'homme à succès, de l'homme sans artifice.

Par magie, celui qui venait de la quitter éliminait cette autre image que Carmen ne cessait d'évoquer et d'idéaliser: celle de son père, l'être parfait. Elle ferma les yeux, revit Joël, sa détermination, son attitude, sa silhouette, c'était le miracle de l'amour.

Carmen, inconsciemment, sortait de l'adolescence, sa vie prenait une dimension nouvelle.

Carmen restait là, pensive, le cœur bouleversé; les sentiments qu'elle éprouvait pour Joël se précisaient, elle le sentait, elle aimait cet homme, mais refusait de se l'avouer, préférant qualifier de camaraderie la joie qu'elle ressentait en sa présence.

***

Ce soir-là, elle mit un soin tout particulier à se faire belle. Elle revêtit une robe fourreau, de satin bleu nuit, drapa ses épaules d'une écharpe de dentelle de Bruges, chaussa des mules d'argent. Elle se sentait en beauté. Son teint basané rendait inutile l'usage des fards. «Non, pensa-t-elle, je ne porterai pas de bijou.»

Elle descendit, il l'attendait. Elle lui sourit et l'admiration qui se lisait sur son visage flatta sa coquetterie de femme.

— Bonsoir, Carmen.

Et il lui offrit son bras. Comme plus tôt dans la

journée, ni l'un ni l'autre ne ressentait le besoin de parler. Ils rentrèrent au casino et se glissèrent au milieu de la foule anonyme, impersonnelle. Jamais encore le jeu n'avait paru insipide à Carmen. Ce soir, il allait même jusqu'à l'ennuyer. Joël aussi semblait distrait. Elle se pencha vers lui et murmura:

— Si nous partions...
— Bonne idée, allons voir un spectacle.

Joël s'arrêta un instant au guichet et échangea les jetons qu'il détenait. Ce détail, pour l'instant insignifiant, reviendrait plus tard à l'esprit de Carmen.

— Elles sont merveilleuses, ces nuits semi-tropicales.

Joël ne répondit pas. Peut-être n'avait-il pas entendu.

La soirée fut douce, agréable, joyeuse. Ils décidèrent ensuite de se rendre au *Café*.

C'est là que le charme s'est lentement rompu. Carmen sentait que Joël lui échappait. La conversation languissait; dès qu'elle levait les yeux, elle surprenait le regard de l'homme qui pesait sur elle.

Toute spontanéité disparue, ils tenaient des discours impersonnels, le cœur n'y était pas. La délicieuse pointe de tarte aux pommes, à peine entamée, restait là, dans l'assiette. Avec la fourchette, Carmen brisait la pâte, histoire de se donner une contenance, mais elle n'aurait pu avaler une seule bouchée. «Finies les amours de vacances, pensa-t-elle à regret. Je replongerai bientôt dans ma solitude.» Elle ne lui confia pas son désarroi, elle n'en avait pas le droit et il ne lui en fournirait pas l'occasion. Joël était lui-même triste, elle en avait le sentiment, mais sa peine ne palliait pas sa détresse. Il eut la délicatesse de ne pas parler de son départ, imminent; Carmen le sentait, c'était une soirée d'adieu. Sur le chemin du retour, Joël garda la main de Carmen dans la sienne et, à quelques reprises, il la serra très fort. Elle aurait souhaité qu'ils aient pu cheminer ainsi jusqu'à la lune qui, moqueuse, les regardait du haut de sa grandeur.

Parvenu sous les néons, Joël s'arrêta, recula de trois pas, prit la pose d'un photographe et à l'aide d'un appareil-photo imaginaire, prit un cliché, puis deux, puis trois.

– Voilà! Vous êtes immortalisée.

Il prit un air grave et ajouta:

– De grâce, Carmen, ne portez plus cette robe bleu nuit, elle vous rend impudique!

Il tenta de sourire mais ne réussit qu'à grimacer. L'ascenseur les laissa là-haut, gênés, embarrassés. Carmen murmura «bonsoir» et se précipita vers sa chambre.

***

C'est à pas rapides que Joël s'éloigna en pestant contre lui-même. «Non mais qu'est-ce qui m'arrive, je suis maboul ou quoi? Me voilà dans un beau pétrin. Ça m'apprendra! Depuis des jours, je me leurre, je refuse de voir les choses telles qu'elles sont. Je l'ai dans la peau, cette fille. Mais pourquoi? Pourquoi? Elle ne fait rien qui soit de nature à me mettre dans un tel état. Elle me regarde avec ses grands yeux de biche et je me pâme bêtement; ses grands yeux de biche qui flambent! Elle n'est pas belle, ni aguichante, elle est même austère, mais bon sang qu'elle est femme, femme! Femme! Le pire, c'est qu'elle l'ignore. Elle est incandescente, c'est ça, cette femme est un volcan, au bord de l'éruption, et elle me fait perdre mon équilibre. Depuis des jours et des jours je n'ai que son image en tête, je la quitte et je l'attends, je m'inquiète si elle tarde, je refuse de l'admettre, je suis bêtement amoureux. J'ai une famille, j'ai une femme, j'ai des enfants, je ne vais pas briser ma vie, tout sacrifier parce que j'ai croisé une impétueuse et ardente fille au teint de rose et aux yeux de feu! Elle est une femme enfant, gamine un instant, vamp l'instant d'après, comme ce soir où elle m'apparut si divinement langoureuse et attirante dans son fourreau ciel de nuit, c'est à rendre fou! Il faut que ça finisse! Et tout de suite! Bon sang de bon sang!»

Joël ouvrit la penderie, en sortit ses vêtements qu'il lança pêle-mêle sur son lit. Ne cessant pas de maugréer, il fourra le tout dans ses valises. Sa crise nerveuse ne réussissait pas à le calmer, le visage de Carmen continuant de l'obséder. Joël se précipita vers la salle de bains, ouvrit la douche et, sous le jet glacial, tenta de recouvrer son sang froid.

Puis il se mit au lit en se jurant à lui-même de quitter cet endroit au plus tôt et sans revoir Carmen. Il devait partir pendant qu'il en avait encore le courage et, tout à coup, il s'inquiéta à l'idée qu'il aurait pu lui aussi inspirer à cette jeune femme des sentiments de même force. Cette pensée le bouleversa et finit par le convaincre qu'il devait s'éloigner sans un adieu. «Quelle bêtise j'ai failli commettre!»

Le lendemain, il se leva tôt, fit parvenir des fleurs à sa belle, les fleurs de l'adieu. Joël se rendit à l'aérogare et s'envola par le premier avion pour Miami.

Il y séjournerait quelque temps, histoire de remettre de l'ordre dans ses pensées. Il lui fallait maintenant effacer de sa tête et de son cœur le visage grisant qui ne cessait de le hanter. Un bras de mer les séparait. Joël continuait de rêvasser: «Les mêmes nuages se dandinent au-dessus de nos têtes... me voilà devenu aussi insensé qu'un adolescent qui découvre l'amour!»

***

Le lendemain matin, Carmen reçut une magnifique gerbe de fleurs; ses mains tremblantes cherchaient la carte de l'expéditeur:

«Cette fois, chère Carmen, c'est vous que je fuis.» C'était signé «Joël». «Il est doté de toutes les vertus, pensa tristement la jeune fille, même de celle de la fidélité!» Elle n'eut pas le temps de s'attarder à sa peine, le téléphone se mit à sonner rageusement. «Si c'était lui?»

Elle courut vers l'appareil, souleva le combiné. C'était madame Minerve, qui semblait dans tous ses états.

— Dites-moi, chère enfant, vous ne partez pas maintenant?
— Non...
— Il ne faut pas. Je dois m'absenter pour un temps indéfini, mais je tiens à vous revoir, absolument.

Et elle répéta: «Absolument».

Ne sachant quoi répondre, Carmen attendit.

— Je resterai en contact avec vous, je vous en prie!

Sa voix était suppliante. Carmen promit.

— Bon... voilà qui est bien. Au revoir, Carmen.

Elle avait raccroché.

Carmen pensa la rappeler pour lui offrir l'assistance dont elle semblait avoir besoin, mais le cœur n'y était pas.

Elle plaça les roses dans un vase et prit le chemin du minuscule jardin. Il était moins beau, moins ensoleillé, moins parfait. Le jardin d'Éros, déserté, n'avait plus le même attrait.

«Le charme des lieux était une pure invention de mon imagination en raison de mon état d'âme», pensa-t-elle tristement.

«L'eau du ruisselet, toujours aussi limpide, ne fait que suivre son lit, le soleil qui s'y mire laissera place à la lune, et ce sera demain... *Hier ne sera plus jamais...*»

«Les lieux que tu fréquentes, lui avait un jour dit son père, peuvent être un paradis ou un enfer selon ton état d'âme.»

Ce soir, elle saisissait le sens profond de cette phrase. Elle redoutait la peine que lui causerait le vide laissé par le départ de Joël, si elle continuait à déambuler dans ces lieux qu'ils avaient ensemble parcourus. Elle pensa partir, retourner chez elle, mais la promesse faite à madame Minerve la retenait.

Elle tenta de lire, mais n'y parvint pas. Ses yeux butaient sur les mots, elle ne pouvait se concentrer;

elle ferma le livre et se mit à arpenter sa chambre dans tous les sens. «Et si j'allais jouer pour tromper mon ennui? Ce soir j'aurais besoin que ma conscience me retienne, mais elle se tait! Et pour cause, je n'ai même pas le désir de jouer. Quand je pense aux longues heures que j'ai perdues lorsque Joël se trouvait ici!»

Carmen jetait de furtifs coups d'œil sur sa montre-bracelet; les aiguilles semblaient s'être immobilisées. Elle prit une douche, sécha ses cheveux, marcha vers la garde-robe, l'ouvrit. Elle irait au casino. Mais la robe bleu nuit lui rappela le regard tendre de Joël. Elle ferma tapageusement la porte de la penderie et courut vers son lit et, étendue là, elle versa un torrent de larmes, sur Joël, sur elle-même. Et elle s'endormit.

Le lendemain soir, Carmen se rendit au casino. Tout cependant lui semblait différent; ce qui la passionnait tant, il n'y avait pas si longtemps, avait cessé de la fasciner. Ce qu'elle ressentait l'étonnait. «Je craignais d'avoir à demander de l'aide pour surmonter cette passion du jeu, qui maintenant me laisse... indifférente!»

Elle jeta un coup d'œil à la ronde, espérant voir madame Minerve. «Il est déjà tard, elle ne viendra pas si elle n'est pas déjà ici.» Carmen décida d'aller dormir.

Chapitre 12

Joël arpenta la plage de Miami en lutte avec le dilemme qui le bouleversait. Les images qui se succédaient dans sa tête allaient de son rêve doux vécu auprès de Carmen à la vie qui fut sienne auprès de son épouse et de ses enfants. Une pensée le fit sourire: «Le démon du midi a fait intrusion dans ma vie sous la forme d'une belle fille. Je dois le combattre, retomber les pieds sur terre. Rien dans le passé ne saurait justifier une trahison de ma part. Pauline est une épouse parfaite et une excellente mère.»

Il ressentait une certaine gratitude à l'égard de Carmen qui s'était avérée droite et sincère, et dont la conduite avait été exemplaire. Il avait fui promptement dès qu'il s'était rendu compte que les charmes de la jeune fille prenaient de plus en plus de place dans ses pensées. À deux reprises, il avait remis à plus tard sa décision de rentrer au Canada. Il s'en avoua la raison au moment où elle enroba ses jambes de sa grande jupe. Le geste lui rappela ses obligations vis-à-vis de ses enfants. Carmen, de par son âge, pourrait être sa fille! Quelque chose en lui avait éveillé sa bonne conscience. Il ne lui fallait plus s'attarder, ce serait jouer avec le feu de la passion qui ne manquait sûrement pas de prendre place dans le cœur de cette fille qui lui semblait tout à coup fort vulnérable. Oui, être resté plus longtemps aurait pu le conduire loin, très loin. Et Joël avait fui, ce qui lui paraissait maintenant un geste sensé, le seul qu'il se devait de poser.

Au moment de tracer les quelques mots qui accompagnaient les fleurs de l'adieu, Joël hésita un instant puis, avec toute la sincérité dont il était capable, il avoua à Carmen l'emprise qu'elle avait sur lui. Il tut cependant les regrets qu'il ressentait à mettre un terme à cette idylle à peine amorcée, mais dont il goûtait si ardemment tout le charme.

Les jours passèrent, lentement d'abord; peu à peu, l'équilibre se fit dans l'âme de l'homme, le ramenant à son sens pratique. Il s'inquiétait pour le travail qui l'attendait sûrement à son bureau.

L'heure de se mettre au lit lui semblait toujours la plus pénible. Un soir, il fixait le plafond de sa chambre, laissant errer ses pensées: «C'est bien simple, je m'ennuie! Ce n'est pas en ruminant, couché ici, que je vais solutionner mon problème, je rentre à la maison!» Fort de la décision qu'il venait de prendre, Joël s'endormit.

Le lendemain, il se retrouvait dans l'avion qui le conduirait à Dorval. Là, il louerait une voiture et rentrerait chez lui. Plus tard, il aviserait en ce qui concernait sa voiture laissée à Québec.

Suspendu entre ciel et terre, il regardait les nuages touffus, à la fois légers et lourds, qui glissaient mollement, lui rappelant que plus au sud se trouvait une femme qui avait un instant effleuré son âme virile avec la même souplesse. Il ferma les yeux.

***

Joël plaça le pied sur le long tapis roulant qui le conduirait vers la sortie. La lenteur du trottoir mobile réveilla en lui le désir qu'il ressentait subitement de retrouver les siens. Il mit la main dans sa poche pour y prendre une pièce de monnaie: il annoncerait son retour. Mais il n'avait pas de pièce canadienne. «Bon, c'est mieux ainsi, j'arriverai sans prévenir.» Et, déjà, Joël plongeait dans la réalité, élaborait mentalement ses projets de travail pour le lendemain.

Au volant de la voiture, il regardait défiler le paysage connu; c'était une belle fin de journée. La radio l'informait des dernières nouvelles locales. Joël ressentait de la joie: il rentrait chez lui. Plus il se rapprochait de sa maison, plus son bonheur s'intensifiait.

Il sourit à la pensée de la surprise qu'il causerait à Pauline: «Elle va en avoir long à me raconter, je peux compter sur elle pour me narrer dans le détail tout ce qui s'est passé en mon absence; ce n'est pas ce soir que l'on va pouvoir s'endormir tôt.» La voiture quitta la grand-route et s'immobilisa à un feu de circulation. Il s'étira les jambes, croisa les bras derrière la tête. Joël avait le cœur joyeux. Ce n'était plus qu'une question de minutes...

Voilà la maison qui se dressait devant lui. Il éteignit ses phares, avança lentement. La lumière luisait derrière la fenêtre de la chambre conjugale. «Elle est là-haut.» Il se dirigea vers l'arrière, ouvrit doucement la porte qui couinait un tantinet: «Il faudra huiler les gongs, pensa-t-il.»

Il alluma les lumières: deux valises Vuitton étaient là. «Tiens, ce sont les bagages de Pauline, elle s'apprêterait à partir?» Il les connaissait bien pour les lui avoir offertes, autrefois, lors de leur voyage de noces.

Joël ouvrit le réfrigérateur et se versa un grand

verre de lait qu'il avala d'un trait: «C'est le meilleur au monde!»

Il contourna la salle à manger, pénétra dans le hall où se trouvait l'escalier qui menait à l'étage, ôta ses souliers et, sur la pointe des pieds, gravit les marches une à une en mettant tout son poids sur la main courante afin d'étouffer le bruit de ses pas.

La lumière luisait toujours sous la porte fermée. Il posa la main sur la poignée qu'il tourna très lentement et sa manigance, plutôt enfantine, le fit sourire. Le filet de lumière qui filtrait à ses pieds disparut... «Elle va s'endormir.»

Joël poussa lentement la porte: «Coucou, je suis là!» Tout en lançant son cri joyeux, il actionna le bouton de la lumière.

— Ah! ne put que s'exclamer Joël. Excusez-moi! Il sortit et referma la porte derrière lui.

Il n'a pu manquer de voir: Pauline était couchée, tapie dans les bras d'un homme, Maurice, son propre associé!

La réaction fut vive, Pauline s'était assise sur son séant ramenant à elle le drap pour cacher sa nudité.

Elle s'était mise à crier. Elle hurlait si fort que Joël s'immobilisa. La porte s'ouvrit et Maurice s'exclama: «Arrête, idiot, arrête-toi et attends.»

Maurice retourna vers le lit, saisit Pauline aux épaules: «Allons, ressaisis-toi, Pauline! Écoute, oui, c'est Joël, calme-toi, Pauline. Calme-toi.»

Les sanglots secouaient la femme affolée, qui était sur le bord de la crise d'hystérie. Joël était confondu, il se dirigea vers le salon et se laissa tomber sur un fauteuil, médusé. Il se prit la tête à deux mains.

Là-haut, Maurice obligeait Pauline à se lever, lui faisait enfiler son peignoir.

— Viens, descendons. Joël est là.

Pauline recommença à crier.

— Oui, je sais, je sais, chérie. Je n'y comprends rien moi non plus mais il est là, c'est bien lui. Descendons, allons lui parler.

Pauline avait peine à se tenir debout, ses jambes flageolaient. Elle s'appuyait contre Maurice, qui guidait ses pas. Et c'est dans cette position, pas des plus décentes, qu'ils firent leur entrée dans le salon.

— Ma foi, Maurice, mais c'est ma robe de chambre que tu portes, si je ne m'abuse.
— Excuse-moi, j'ai pris la première chose qui m'est tombée sous la main.
— Tu parles toujours de la robe de chambre, j'espère?
— Ne fais pas l'imbécile, épargne-moi ton humour noir.
— Parce que tu veux, de plus, que je pèse mes mots pour te dire ce que je pense de toi?
— Assez! cria Pauline. Tu es injuste, Joël.
— Ah! bon, on se prélasse au lit, il n'est pas dix heures, on éteint pour dormir, car on est las et demain on partira tôt...
— Tais-toi! ordonna Pauline. Tais-toi, Joël.

— Tu es... Joël, c'est difficile à dire, bégaie Maurice, mais tu es...

— Mort dans le cœur de ma femme!

— Mort tout court, tu es ignoble!

— Je suis ignoble, mort tout court. C'est tout ce que vous trouvez d'intelligent à me dire pour m'expliquer votre sale conduite et m'accueillir chez moi.

Pauline pleurait, Joël ne voulait pas se laisser attendrir, mais ses larmes lui lacérèrent le cœur.

— Comprends donc, Joël, tu es mort et enterré.

— Voilà qui est mieux, je suis enterré. C'est mon spectre qui est là, devant vous.

— C'est ce que Pauline a cru, c'est ce qui explique son désarroi. Joël, tu as été officiellement déclaré mort à la suite d'un accident de voiture survenu peu après ton départ. Ton automobile a dû être volée et c'est sans doute le coupable du vol qui a péri dans les flammes alors qu'on a cru que c'était toi! Voilà la seule explication plausible.

— Et vous avez enterré mes cendres.

— Joël! de grâce, parle comme un homme. Il y eut des funérailles, oui...

— Auxquelles nombre de gens ont assisté, qui ont chanté mes louanges, d'où vous est venue l'inspiration de vous consoler mutuellement.

— Ce n'est pas si simple que ça, hasarda Pauline.

Le téléphone interrompit la phrase. Maurice se leva et se dirigea vers l'appareil.

— Dis, ami et associé, ça ne te fait rien? Je suis toujours chez moi, ici.

Et Joël prend le récepteur.

— Allô!

Une voix rageuse cria:

— Merde! Je veux parler à maman.

Joël tressaillit, c'était sa fille, son bébé, Diane. En silence, il tendit le combiné en direction de Pauline, mit l'index sur ses lèvres pour faire comprendre à sa femme de ne rien lui dire au sujet de sa présence, de son retour. Puis il lui souffla à l'oreille d'inviter Diane à venir. Pauline refusa d'un geste de la tête.

— Maman... maman...
— Oui, Diane, je suis là.
— Quelque chose ne va pas?
— Je suis enrouée, voilà tout.
— Tu en es sûre?
— Bien sûr, je dormais...

Maurice baissa la tête, embarrassé.

— Je te téléphonerai demain matin, très tôt, ça va, ma fille? Bonne nuit!

Pauline raccrocha, se tourna vers Joël et expliqua:

— Je ne pouvais pas lui imposer... ça, comme ça. Laisse-moi d'abord lui parler, le choc fut trop grand pour elle, c'est trop tôt.
— Que me racontes-tu?
— Ton décès l'a mise dans un de ces états; elle souffre atrocement.
— Ainsi, quelqu'un pleure ma mort, il fait bon te l'entendre dire.
— Joël! Toi habituellement si compréhensif.

— Et toi, habituellement si franche: je dormais, je suis enrouée. Tu mens bien, chérie, je n'aurais jamais cru avoir l'occasion de t'entendre le faire, et aussi facilement, toi, Pauline.

— Raconte tout, Pauline, je vais partir. Et Maurice se dirigea vers l'escalier.

— Ah! Non, mon vieux! Ce serait trop facile. Ce n'est pas ma femme qui va chercher les mots pour te disculper, pour expliquer ta conduite. C'est moi qui quitte cette maison avant que la colère finisse de m'envahir. Vous aurez à l'avenir tout le temps voulu pour manigancer dans mon dos. Je vous préviens, tous les deux, je vous aurai à l'œil.

Lorsqu'il se retrouva assis derrière le volant de la voiture, sa colère tomba, laissant place au plus grand des désarrois.

Qu'il fût officiellement déclaré mort et enterré, il voulait bien l'admettre; ça n'avait rien de réjouissant, les faits étaient là. Ce qu'il y avait de plus aberrant dans toute cette histoire, c'était le sans-gêne de Pauline et de Maurice. «Ils sont même étonnés de ma réaction, de mon amère surprise! Pourtant, je les ai surpris ensemble au lit, mon propre lit, le lit conjugal, dans ma maison et dans ma robe de chambre, hurle Joël, comme ça, débonnairement, comme si c'était normal, naturel que l'associé console la veuve éplorée!

«Pourquoi m'avoir parlé de mes funérailles? J'avais l'impression en les écoutant d'être un intrus. Ma mort expliquerait la présence de Diane au Canada, mais pourquoi n'est-elle pas à la maison, comme il se doit? Je ne sais pas tout, ça accroche quelque part!

«Et moi, je vais... où? Je me terre ou je me manifeste au grand public? Non, les enfants doivent d'abord être prévenus. Voilà que je m'inquiète de la conduite que doit avoir un ressuscité!

«Où puis-je rejoindre Diane? Si j'allais passer la nuit au bureau? Est-ce que je ne risque pas de causer une commotion si je croise un gardien ou quelque connaissance? Demain matin, j'irai au cimetière... me rendre visite, constater blanc sur granit ce que dit ma stèle... ou la stèle, gravée à mon nom! Dieu! que c'est macabre, tout ça!

«Mariette, Mariette, c'est la solution. C'est une fille solide, elle ne perdra pas la tête. Oui, je vais me rendre chez Mariette.»

Il stationna sa voiture devant le grand édifice, remonta le collet de son manteau, fonça tête penchée, consulta le tableau, appartement huit. Il sonna, on lui répondit. «Mariette est chez elle, merci, mon Dieu.»

— Qui est là?
— Je vous en prie, Mariette, ouvrez.

Il se fit un silence.

— Je vous en prie, Mariette.
— C'est...
— Oui, c'est moi.
— Bonté suprême!

Et le déclic se fit, Joël poussa la porte, s'engouffra dans l'ascenseur. Mariette attendait sur le pas de la porte.

— Monsieur Joël! Monsieur Joël, j'ai cru reconnaître votre voix, monsieur Joël.

Elle restait là, immobile, comme sidérée par la vision.

— Entrons, voulez-vous?
— Mais bien sûr, où ai-je la tête?
— Au cimetière, peut-être.
— Ah! vous savez déjà!
— Mariette, pourriez-vous me servir un café, je suis si fatigué!
— Suivez-moi, mais, où ai-je la tête? répéta-t-elle.

Mariette tournait le dos à l'homme, ses mains tremblaient. Elle tentait en vain de mettre un peu d'ordre dans son esprit.

— Dites-moi, Mariette, savez-vous où je pourrais rejoindre Diane?
— Oui, Diane, oui, peut-être...

Elle déposa la tasse qu'elle tenait de ses deux mains pour contrer son tremblement.

— Mais, d'abord, monsieur Joël, vous devez savoir, je dois vous informer que...
— Je sais déjà.
— Oh!
— Téléphonez à Diane, demandez-lui de venir, préparez-la au choc que lui causera mon retour, je vais sortir, je reviendrai plus tard, mais il faut que je la voie.
— Non, vous irez dans ma chambre, je lui parlerai ici.
— Fasse le ciel que Diane ne soit pas allée à la maison après mon départ.
— Parce que vous êtes allé chez vous?
— Oui, c'est là que j'ai appris mon décès et tout le reste.

— Ainsi, vous savez!

— Voilà pourquoi je veux d'abord parler aux enfants, la situation est délicate. Ainsi vous savez où je pourrais rejoindre ma fille?

— Elle habite ici même dans cet édifice.

— Mais, pourquoi ici, et non à la maison?

— Euh! s'exclame Mariette qui sait maintenant que Joël ne connaît pas toute l'étendue du problème. Monsieur Joël, je vais me rendre chez votre fille.

Elle marchait de long en large, essayant de rassembler ses idées: «Il vaut mieux que Diane l'informe elle-même de la situation, c'est trop délicat, pensait Mariette. Je ne dois pas m'impliquer dans cette situation; quelle sera sa réaction quand il apprendra...»

Et se tournant vers Joël:

— Diane habite à l'étage supérieur, nous nous sommes croisées dans le hall d'entrée la semaine dernière. Je monte chez elle, ne vous inquiétez pas si je tarde.

Désignant le divan, elle ajoute:

— Pourquoi ne pas vous reposer un instant, vous semblez exténué?

La porte d'entrée se referma. Prostré, Joël resta là, immobile. Le fait de se retrouver seul augmentait son inquiétude. Tantôt il lui faudrait affronter sa fille, trouver les mots pour la réconforter. Si elle avait cru bon de quitter le foyer, la situation était grave. «Quelles dispositions ont été prises vis-à-vis de la loi? Non! Mais quelle histoire à dormir debout!...»

Cette réflexion amena un triste sourire sur son

visage. «Mariette tarde, c'est que Diane est chez elle.» Les minutes passèrent, longues. Joël fit les cent pas, les mains derrière le dos; il se sentait pris au dépourvu. Voilà une situation à laquelle il n'était pas préparé. «Revivre n'est pas facile, pensa-t-il avec humour. Dès que les enfants auront été prévenus, je prendrai cette affaire en main et donnerai un coup de barre au gouvernail; la barque reprendra sa course.» Mais, dans son cœur, il sentait que quelque chose s'était brisé, à jamais. Et c'est ce quelque chose qui l'inquiétait, le bouleversait: plus rien ne serait pareil, les fondements sur lesquels était érigé son bonheur venaient de s'effriter.

Joël entendit la clef dans la serrure, il se leva, se dirigea vers la cuisine, épongea les larmes qui lui obstruaient la vue. Il inspira longuement, secoua les épaules et revint vers le salon. Diane fit irruption dans la pièce avec tant de précipitation qu'elle faillit renverser Mariette. Elle se suspendit au cou de son père.

— Je vous laisse, dit Mariette en sortant.

Joël n'avait pas entendu. Il serrait sa fille qui sanglotait, ni l'un ni l'autre ne ressentait le besoin de parler.

Joël le premier desserra l'étreinte, mit la main dans sa poche, en sortit un mouchoir et prit de nouveau sa fille dans ses bras.

— Papa! balbutia enfin Diane, prolongeant l'effusion.

— Mon petit bonhomme de femme! dit Joël, tendrement.

— Tu es là, c'est toi, c'est bien toi. Je ne croyais pas Mariette, parvint à dire Diane d'une voix entrecoupée de larmes.

Elle enfouissait de nouveau son visage sur l'épaule paternelle et pleurait doucement.

Tout à coup, faisant volte-face, Diane se dégagea de l'étreinte de son père, recula de quelques pas, plaça ses mains sur les épaules de Joël, le regarda, et en furie elle s'écria:

— Maintenant, Joël Boissonneau, explique-toi!

Joël sursauta. Diane, son bébé, le regardait, du dépit dans les yeux, le visage boursouflé par les larmes, les cheveux épars, du désarroi plein l'âme:

— Explique-toi, papa. Pourquoi nous avoir trahis, abandonnés, pourquoi avoir lâchement fui?

Diane avait le regard froid, l'air buté, le chagrin faisait place à la fureur. Elle poursuivait:

— Est-ce que j'ai fui, moi? C'est vrai que c'est plus simple pour un adulte que ce l'est pour un enfant. Vous êtes tout croches, vous les vieux, tout croches, malhonnêtes et menteurs. Vous osez vous plaindre de la jeunesse, nous sommes moins hypocrites, moins sournois. Vous êtes tous de dégoûtants personnages, toi comme les autres. Toi, en qui je croyais tant. Tu étais parti sans doute trousser les jupons de quelque midinette...

— Diane, suffit! Si tu étais moins grande, tu aurais la fessée!

— Des menaces maintenant, c'est du joli.

— Diane! ressaisis-toi! Tu n'as jamais été trahie.

— Oh! oui, papa, oh! oui, j'ai été trahie, je n'avais que huit ans et déjà j'avais été trahie.

— Diane! Que racontes-tu?

— Où étais-tu? Ne change pas de sujet.
— Grand Dieu! Je n'étais nulle part.
— Et maintenant, mort pour l'occasion. Belle et glorieuse tragédie, touchante aussi.
— Écoute, Diane, ce n'est pas en se faisant tant de mal qu'on réglera la situation. Commençons par le début.
— Oui, par le tout début, parce que la fin est atrocement morbide.
— Dis-moi, que t'est-il arrivé à huit ans?
— Ne profite pas de l'occasion pour me forcer à te faire des confidences que j'ai su taire si longtemps! Je ne suis pas traître, moi.
— Diane, chérie, ne m'accable pas! Je suis si désemparé!
— Désemparé? Désemparé! Si tu me disais que tu es malheureux, peut-être réussirais-tu à m'attendrir!
— Jamais encore, Diane, je n'ai ressenti le besoin de choisir mes mots pour m'adresser à ma femme et à mes enfants. J'ai toujours laissé parler mon cœur.

La peine de l'homme faisait surface, noyant tous ses autres sentiments.

Il s'éloigna de sa fille, se laissa tomber sur une chaise et resta là, les yeux perdus dans le vague. Diane s'approcha et timidement murmura:

— Pardon, papa.
— Je me sens complètement vidé.
— Il te faut dormir.
— J'irai dans un hôtel quelconque.
— Pas question. Viens chez moi, Mariette attend, là-haut. La pauvre, elle est, elle aussi, bouleversée.

Joël se laissa convaincre. L'entretien qu'ils venaient

d'avoir ne fit qu'ajouter à la situation plutôt confuse. Il ne devait rien brusquer, la peine de sa fille était profonde et allait bien au-delà des faits récents. Il avait besoin de calme et de réflexion.

C'est à peine si Joël remercia Mariette trop heureuse de réintégrer son logis; Joël se laissa conduire par sa fille.

– Ce n'est pas le grand luxe, papa, mais ici tu seras bien à l'abri de tout et de tous. Pense à dormir, tu as eu assez d'émotions fortes pour ce soir.
– Te dire comme il m'est doux de me sentir près de toi, ma fille!

Au moment de se préparer pour la nuit, Joël demanda:

– Dis-moi, Diane, pourquoi...

Elle ne lui laissa pas l'occasion de terminer sa phrase.

– Chut! Demain, papa. Demain. Bonne nuit.
– Et toi, où vas-tu dormir?
– Au salon.
– Pas question, garde ton lit.
– Papa! Tu es ici chez moi, alors obéis!
– Mutine!
– Allez, oust!

Joël posa la tête sur l'oreiller, tenta un instant de réfléchir à la situation. Mais il était si las qu'il n'y parvint pas et bascula dans un sommeil lourd et perturbé.

Au réveil, il vit, sur un fauteuil, à ses côtés, sa fille Diane qui dormait profondément. «Aurait-elle passé la nuit assise là?»

Joël la souleva délicatement, la déposa sur le lit. Diane grogna un peu, s'étira, mais ne se réveilla pas.

Joël se rendit à la cuisine. Il avait une faim de loup. Il ne voulait pas penser, ne pas paniquer surtout. Il espérait que Pauline mettrait de l'ordre dans sa vie. Quant à Maurice, il lui arracherait volontiers les yeux! Lui, un profiteur? un déloyal? Il semblait que Diane et Mariette étaient au courant de leurs amourettes. Non, il ne déciderait rien sous l'emprise de sa déception, il ne jugerait pas à l'aveuglette; Pauline était une femme sensée, elle l'avait prouvé. «Elle se sera égarée un moment, sous le coup du désarroi. Mais lui, le chenapan, c'est autre chose...»

Pourquoi Diane parlait-elle de trahison, hier? Il lui fallait tout tirer au clair avant de prendre quelque décision que ce soit.

Le café avait tiédi dans sa tasse, les rôties s'étaient refroidies, il n'avait rien ingurgité. Il se leva de table, fit les cent pas. «Voilà ce qu'on peut qualifier de retour brutal à la réalité», pensait Joël, debout devant la fenêtre, le regard perdu sur le panorama qui s'étendait à l'infini.

— Papa!

L'homme sursauta.

— Bonjour, papa.
— Bonjour, Diane.
— Tu as bien dormi? Tu as rêvé et gémi dans ton sommeil.
— C'est sans doute le choc d'avoir remis les pieds sur terre.

– Tu n'as rien mangé.

– Pourtant j'ai faim. Je n'ai rien avalé depuis le frugal repas pris dans les airs, sauf le café que m'a servi Mariette hier.

– Tu es rentré hier par avion?

– Oui, j'ai emprunté la route du ciel pour échoir dans le guêpier.

– D'où venais-tu papa?

– De Porto-Rico et de Miami.

– Affaires?

– Non. Pour satisfaire un besoin impérieux de repos, de détente totale. Je sentais que j'allais craquer si je ne m'arrêtais pas. J'en étais venu à ne plus réussir à penser clairement. Il fallait à tout prix que je fasse un pas de recul et que je me donne le répit nécessaire pour retrouver un certain équilibre.

– Tu as eu tort de ne pas communiquer avec l'un de nous.

– Je l'admets. J'ai tenté de le faire, à deux reprises, sans succès. Je dois t'avouer que je n'y tenais pas tellement, je redoutais d'avoir à revenir pour mille et une raisons. Il ne le fallait pas, du moins je le croyais sincèrement.

– Pas de femme, là-dessous?

– Tonnerre de Dieu! Il y a des femmes partout, je n'avais pas besoin de changer de continent pour m'acoquiner avec une femme!

La vision de Pauline et de Maurice enlacés venait de lui traverser l'esprit.

– Je ne suis pas un enfant pour avoir à rendre compte de ma conduite, ni un prisonnier élargi qui doit se rapporter!

– Tout de même! c'est un manque de considération total envers ceux qui dépendent de toi.

— Voilà! Le gros mot est lâché, on dépend de moi, je tiens tout, je règle tout, je veille sur tous, c'est exactement ce que je ressentais, c'est exactement ce que j'ai fui, ce poids qui m'écrasait. J'en étais venu à faire de l'angoisse: il me fallait rompre tous ces liens et penser à mon humble moi! L'année sabbatique est permise aux employés de tous les niveaux, je n'en demandais pas autant, quelques mois de repos bien mérités me suffisaient. Et voilà que je dois me justifier!

Diane tenta d'intervenir, mais Joël ne lui en donnait pas le loisir: la soupape était ouverte, le trop-plein jaillissait:

— Et ce con de Maurice, mon soi-disant fidèle associé profita de l'occasion pour sauter dans le lit de ma femme. Tu le sais, n'est-ce pas? Alors, qu'as-tu à dire sur le sujet? Hier, pouvais-je prévoir que j'étais mort et enterré? Le pouvais-je vraiment? On aurait au moins dû avoir la décence de laisser refroidir mes cendres! La vacherie! Tu vois, Diane, tu ne dis rien. Tu te contentes de baisser la tête.

— J'ai cru que...

— Que j'aimais une poule, que je me pavanais aux bras d'une donzelle. Merci!

— Non! Tais-toi, hurla Diane.

— Alors? Parle-moi de cette trahison dont tu m'as candidement parlé hier?

— Papa, tais-toi. Tu es injuste à la fin! Ne t'en prends pas à moi.

Diane éclata en sanglots, ce qui eut pour effet de calmer Joël qui se sentit tout à coup penaud.

— Déjeunons, dit l'homme pour faire diversion.

Diane s'affaira en silence. L'atmosphère était lourde. Tout n'avait pas été dit.

– Ma barbe pique.
– Je n'y puis rien.
– Si. J'ai un rasoir dans mes bagages, en bas, dans la voiture... une voiture louée à Dorval.
– À Dorval? L'autre a été volée à Québec!
– Je sais. J'ai tourné en rond avant de partir.
– Pour brouiller les pistes.

Diane regretta sa phrase, Joël ne la releva pas. Ils mangèrent en silence. Diane tendit la main:

– Donne-moi les clefs de cette voiture.

Joël rangea la vaisselle, desservit la table.

– Laisse, je t'ai préparé un bon bain chaud.

Joël s'achemina vers la salle de bains. Il s'arrêta, s'émut: sur l'eau flottait une fleur blanche que Diane avait coupée et placée là à son intention. Ce geste tendre le toucha: «Mon bonhomme de petite fille sera toujours aussi délicate.» Peu à peu l'homme se rassérénait.

***

Diane luttait avec elle-même. Elle regrettait d'avoir laissé échapper cet aveu, la veille. Devait-elle tout révéler à son père? Ne serait-ce pas jeter de l'huile sur le feu? «Il semblait sincère, il est parti pour se reposer, sans autre motif. Je me suis fait des idées sottes. Pauvre papa, il prétendait tout savoir. Comment réagirait-il quand il connaîtrait le fond de l'histoire? Il était si furieux quand je l'ai accusé d'être parti avec une femme.

Que sera-ce quand je lui confesserai mon autre grande peur, mon autre inquiétude? Est-il capable de violence, autre que verbale? Si, par contre, je me taisais, ce ne serait que partie remise, il apprendrait tout d'une autre personne, tôt ou tard. C'est maintenant devenu un secret de polichinelle!»

Elle entendit son père qui chantonnait un air connu, il était enfin plus calme. Il était là, dans l'encadrement de la porte, lui souriait.

— Tu as l'air bien renfrogné, Diane. Moi, j'ai le cœur en fête: une toute petite fleur blanche qui se promène sur la mer m'a remis d'aplomb. J'ai une fille adorable, bonne, douce. Diable! elle l'est, à ses heures, entêtée et imaginative, mais a un cœur d'or. Maintenant elle va dire à papa pourquoi elle habite ce meublé plutôt que sa chambre à la maison. Ce sacripant de Maurice aurait-il laissé tomber son appartement pour s'intégrer dans ma famille? Ta mère a toujours sa voiture, elle aurait pu aller chez lui prendre ses ébats! C'aurait été plus décent que de le faire dans le lit conjugal d'un pauvre hère qui vient à peine de rôtir dans un ravin!

— Épargne-moi tes noires tirades, papa.

— Ou j'en ri, ou j'en pleure. J'ai décidé d'en rire. Alors, pourquoi es-tu ici plutôt que là-bas?

— Viens t'asseoir, promets-moi de garder ton calme.

— Bon. Promis.

— Je ne pouvais pas parce... que...

— Parce que?

— ... pour deux raisons: premièrement, je les ai crus coupables de ta mort. Deuxièmement...

— Pourquoi les as-tu crus coupables de quoi que ce soit? Je ne comprends pas.

— Je me suis mis dans la tête que tu savais.

— Que je savais quoi?
— Maman et Maurice...
— Je ne comprends toujours pas.
— ...
— Explique-toi, Diane. Je ne ferai pas de colère. Pourquoi et comment auraient-ils pu te sembler les responsables de ma mort?
— Je me suis mis dans la tête que tu savais.
— Que je savais quoi? Tu te répètes.
— Que tu étais au courant...

Joël réfléchit. Diane baissa la tête. Il crut comprendre.

— Regarde-moi.
— Oh! papa!
— Non, pas de larmes, pas de déchirements inutiles, parle-moi à cœur ouvert.
— Je savais, moi, alors j'ai pensé que tu l'avais appris et que...
— C'est ça! C'est donc ça!

«Dis-lui tout, raconte tout... je vais partir», avait dit Maurice, hier, c'était bien hier, une éternité à ce qu'il lui semblait maintenant.

— Ils... la trahison! Cette trahison, à l'âge de huit ans.

Diane gardait les yeux bas, ne faisait qu'opiner de la tête.

— Et tu le savais! Tu as gardé ce secret dans ton cœur d'enfant. Tu t'es tue.
— J'avais si peur que tu partes, papa, j'avais si peur de te perdre!

— Ma pauvre chouette, mon pauvre bonhomme de petite fille! Et tu as cru que je m'étais bêtement jeté dans le ravin par dépit, par désespoir! Ma pauvre chouette!

— Tu comprends, maintenant, que je ne pouvais pas rester à la maison et être le témoin de leurs ignobles amours, c'aurait été les absoudre.

— Ta mère, sait-elle que tu sais?

— Non, oui...

— Tu as gardé ce gros secret enfoui dans ton âme, tu as vécu seule ce problème?

— Jusqu'au jour où...

— Tu as appris mon décès?

— Non...

— Alors?

— C'est difficile, si difficile, tu ne sais pas encore, je le vois, je le sens.

— Dis, ne t'inquiète pas, je resterai calme, plus rien ne peut me surprendre. Je sais que ça fait mal, mais il faut vider l'abcès. Allons, du courage, ma grande.

— Un jour, il n'y a pas longtemps, maman m'a appris...

— Que?

— Qu'elle épousait Maurice.

— Non!

— De fait, elle l'avait déjà épousé, lorsqu'elle voulut me confier le soin de veiller sur la maison en leur absence. J'ai refusé, j'ai crié, je lui ai jeté à la face tout le fiel que j'avais là, en dedans de moi. Je leur ai dit que je savais, que je connaissais leur trahison, que tu l'avais découverte et que, désespéré, tu avais...

— Continue...

— Maman m'a frappée en plein visage. Ça m'a fait un bien immense. La spontanéité de son geste me démontrait que j'avais tort de penser cela de toi. «Ton père n'était pas un lâche, hurla-t-elle, tu n'as pas le droit de prétendre ça. Je n'ai jamais eu le courage de tout lui avouer par faiblesse, soit, mais aussi par respect et à cause de l'amour que je lui ai toujours voué.» C'était bien, tout ça, mais ça ne me ramenait pas mon père. Je n'avais que toi, papa, et tu n'étais plus là! Ce que j'ai pu souffrir!

Joël repensa aux valises qui avaient attiré son attention...

— Ils sont revenus hier, précisément. Je me suis fait violence pour prendre des nouvelles de maman, hier soir. Mais, dis donc, j'y pense, c'est toi qui as répondu au téléphone. J'ai cru que c'était Maurice, ce Maurice à qui je ne veux plus avoir affaire, jamais! Un instant, l'idée d'avoir reconnu ta voix m'a effleuré l'esprit, un instant, un bref instant. Alors, c'était bien toi, papa?

Joël se taisait. Tout ça durait depuis toujours et il n'avait rien soupçonné. Ces heures passées sur le terrain de golf, ces randonnées joyeuses. Le fidèle associé, un gigolo, un gigolo qui a eu peur de se faire prendre le gros morceau et a épousé la veuve pour asseoir sa domination: la femme, la compagnie, les avoirs, l'avenir assuré, et plus la liste s'allongeait, plus Joël rageait.

Joël se leva, prit les clefs qui étaient sur la table du salon, Diane s'affola.

— Papa, reste ici.

Il n'entendit pas, marcha vers la porte. Diane le rejoignit, se jeta sur le plancher et entoura ses deux jambes de ses bras en pleurant, en suppliant: elle avait si peur!

Joël frémit.

— Reste ici, papa, suppliait sa fille.

Il s'inclina, l'aida à se relever, la prit dans ses bras.

— Ma pauvre enfant, tu trembles de tous tes membres. Ma pauvre chouette! N'aie pas peur. Je t'aime, je t'aime tant, tu le sais.

— Oui, c'est pour ça que je trouve la force de te supplier de rester ici. Tu dois réfléchir avant de poser un geste que tu pourrais regretter.

— J'ai besoin d'air! Je ne veux pas continuer de vivre caché, comme un renégat.

— Et maman, papa, pense à maman.

— Sois rassurée, ta mère perdra peut-être le cœur de son mari, mais elle ne manquera de rien sur le plan matériel.

— Tu n'as pas... l'intention... de lui pardonner et de ...

— Aujourd'hui? Sûrement pas! Comprends-moi bien, ce n'est pas ce mariage que je lui reproche le plus, même s'il eut été plus convenable qu'elle attende un certain laps de temps avant de convoler...

— On n'est plus au siècle des longs deuils.

— Ni de la plus élémentaire décence. Je ne crois pas que j'aurai la générosité de passer l'éponge sur sa conduite passée, celle qui a précédé ma mort.

— C'est insensé à la fin! Cesse de te référer à ta mort comme à un fait accompli. Ne deviens pas maboul, c'est de la folie furieuse. Reviens sur terre, il y a des choses plus sérieuses à tirer au clair.

— Dis, fillette, est-ce que je sais tout?

— Ça ne suffit pas, non?

— À mon tour de te faire une remarque: ne deviens pas si amère.

— Nous avons, toi et moi les nerfs irrités.

Ils se taisaient. Le calme revenait peu à peu. Tout à coup Joël s'exclama:

— Et Mariette, dans tout ça?
— Je ne saurais dire...
— Hier, elle voulait me confier certaines choses...
— Elle faisait probablement allusion à ce mariage et à ce retour de voyage de noces.
— Car elle était au courant.
— Je présume, oui.

La sonnerie du téléphone retentit. Diane sursauta.

— C'est sans doute maman.
— Réponds, elle s'inquiéterait.

«Je suis enrouée», avait-elle dit, Joël grimaça.

— Allô, oui maman. Ta gorge est mieux?
— Oublie ça, Diane. J'ai à te parler, c'est très très sérieux. Viens à la maison... Maurice est parti.

Diane leva les yeux vers son père et répéta:

— Maurice est parti?
— Oui. Pour toujours.
— Ah! Oui, comme ça, le bel amour n'a pas duré le temps d'une rose!
— Ne sois pas méchante. La situation est changée, je veux te parler. C'est urgent.
— Non, maman, ce n'est pas urgent, dit Diane d'une voix radoucie, car je sais déjà, papa est revenu.
— Tu sais?
— Oui, il est près de moi.

— Oh! Tu as tout raconté?

— Oui, maman, papa mérite toujours qu'on lui fasse confiance, il est compréhensif.

— Alors, je... n'ai plus rien à te dire. Dis, crois-tu qu'il me hait?

— Papa n'est pas capable de haine, rassure-toi. Ses sentiments sont beaucoup plus nobles.

Pauline faillit éclater en larmes. Elle balbutia quelques mots et raccrocha.

— C'est bien, Diane, je crois que tu as su la réconforter malgré tout. Il ne faudra pas l'abandonner à sa grande peine, moi je n'ai pas le courage de l'affronter.

— Mariette sait-elle tout de leur roman d'amour?

— Je l'ignore, mais elle est au courant de leur mariage.

— Fais-moi une faveur, téléphone à mon bureau, je veux lui parler, elle s'est sans doute rendue au travail, malgré tout.

Diane tendit le récepteur à son père.

— Mariette est en ligne.

— Bonjour, mes excuses pour l'intrusion d'hier.

— Je vous en prie, ne le mentionnez pas. Vous allez mieux?

— Oui, merci. Dites-moi, Maurice est-il au bureau?

— Non, monsieur Joël, il a prévenu de son absence.

Tiens, pense Joël, il n'a pas perdu tout sens des convenances.

— Mariette, si vous deviez avoir besoin de quoi que ce soit, n'hésitez pas à me téléphoner.

– Donnez-moi le numéro à appeler.

– À votre avis, a-t-on la situation bien en main? Avez-vous des dossiers en souffrance?

– Non. Tout va bien. N'oubliez pas de me donner vos directives, monsieur Joël. Soyez assuré de ma discrétion et de mon assistance au besoin.

– Merci, Mariette. Vous avez toujours été une très loyale et dévouée secrétaire, je vous en sais gré.

Joël raccrocha. Diane se tenait tout près de lui.

– Tu m'épies, on épie son papa, dit Joël d'un ton cajoleur.

– Tu as l'intention de contrôler la situation, à ce que je vois.

– Je l'espère bien!

– Alors, écoute. Tu vas me promettre d'y aller doucement... en ce qui concerne maman.

– J'en ai bien l'intention.

– Je veux dire, n'intente pas de demande en divorce avant d'avoir mûrement réfléchi.

– Toute réflexion à ce sujet est faite, le divorce s'impose. Mais il y a plus pressé. Je vais d'abord et avant tout mettre de l'ordre dans les affaires.

– Les mauvaises langues...

– Je t'arrête. Je me fous des qu'en-dira-t-on. Crois-moi, Diane, il ne faut pas vivre sa vie en se souciant de l'opinion du voisin. Quand on se conduit bien, quand on est droit et honnête, l'impression des autres nous est automatiquement favorable. La droiture doit être notre seul souci.

– Je te retrouve enfin.

– Parle-moi de tes projets.

– D'abord, merci de me l'avoir rappelé, je dois annuler le billet d'avion qui devait me ramener en France samedi prochain, ensuite...

— Pas question. Tu retournes là-bas, je garde ton logis.

— Je reste auprès de toi.

— L'appartement est trop petit pour deux.

— Cesse d'ironiser.

— Quel ton!

— Celui de la raison.

— Tu veux épier mes faits et gestes.

— Et te mettre les bâtons dans les roues, si nécessaire.

— Lequel de nous deux prépare un goûter dînatoire?

— La femme, en l'occurrence moi, évidemment.

— J'avoue que je ne suis pas domestiqué.

— Penche-toi sur un problème urgent: la façon la plus élégante de faire part au genre humain de ton retour sur terre...

— Diane, je ne badine pas, tu dois retourner poursuivre tes études là-bas. Les choses se calmeront, à ton retour, tout sera rentré dans l'ordre. Ce mariage, je l'espère, ne fut pas célébré en grande pompe?

— Non, papa, bien au contraire, dans la plus stricte intimité.

— Si l'absence de ta mère n'a pas été remarquée, l'honneur est sauf de ce côté-là, voilà ce qui doit endormir tes inquiétudes, et un peu les miennes si je pense à ma profession. À propos, Diane, quand au juste suis-je mort?

— Papa!

— Bon, bon. Tu as compris.

Diane sortit une coupure de journal et la remit à son père. Il lut l'article, un certain sourire illumina son visage qui, tout à coup, s'assombrit: «J'avais raison», murmura-t-il.

— Qu'y a-t-il, papa? En quoi avais-tu raison?

Joël regarda Diane, étonné. Elle répéta doucement la question car elle sentit qu'il y avait une relation entre les mots qu'il avait prononcés et ce qu'il avait lu sur l'avis de décès.

— C'est tout simplement inouï. Ce même jour, je veux dire celui de mes funérailles, enfin! ne proteste pas, écoute-moi, tu comprends de quoi je parle, eh bien c'est exactement le jour où je fus témoin d'un suicide. Dans l'énervement du moment je me suis exclamé: «C'aurait pu être moi.»

— Pourquoi? Pourquoi?

— C'est difficile à préciser. J'étais si épuisé, si exténué devrais-je dire, on ne sait pas ce qui peut se produire devant ce que l'on qualifie de *burnout*, ce mal moderne qui définit le stress poussé à bout.

— Mon pauvre cher papa!

— Heureusement pour moi, à ce moment-là, une jeune femme qui se trouvait sur les lieux m'a secoué et aidé à sortir de la torpeur dans laquelle le drame m'avait jeté. Quelle triste expérience! Que je ne souhaiterais à personne de vivre, pas même à mon pire ennemi.

— L'a-t-on sauvé, était-il... trop tard.

— Oui. Je n'ai rien pu y faire et c'est ce qui m'a le plus traumatisé. J'ai senti la profondeur de mon impuissance et, pendant quelque temps, ne pensai plus qu'à refaire mes forces, ma santé.

Diane restait blottie contre son père, bouleversée par ce qu'il racontait. Le visage inquiet de Carmen effleura l'esprit de l'homme, les nerfs de son visage se crispèrent. Oui, il souffrait. Il serrait sa fille très fort dans ses bras. Celle-ci murmurait: «Je t'aime, papa.»

***

Le téléphone sonnait; Joël sursauta, regarda sa montre-bracelet. Il était neuf heures dix. Il se précipita vers l'appareil craignant que la sonnerie ne réveillât Diane.

— Allô.
— Monsieur Joël, j'ai cru bon vous avertir, monsieur Maurice est là, qu'est-ce que je fais du courrier? Habituellement, je...
— Mettez-le sous clef. Et dites à Maurice qu'il peut débarrasser le bureau de ses objets strictement personnels, ne doit sortir aucun dossier, ni personnel ni autre. Dites-lui que ce sont mes ordres. Oh, j'oubliais, demandez-lui de vous remettre le double des clefs. Je compte sur vous, Mariette.

Joël déposa le combiné.

— Tu as faim, papa?

Joël sourit.

— Oui, ma fille, je t'ai réveillée?
— Non, papa, je ne rentrerai pas souper, ce soir.
— Je suppose que je ne devrais pas questionner...
— J'irai tenir compagnie à maman.
— Bien, moi je rendrai visite à mes autres enfants.

***

Elles étaient assises l'une en face de l'autre, la laitue flétrissait dans le saladier.

— Aussi étrange que cela puisse te paraître, Diane, c'est ta souffrance qui me fait le plus mal.

Pauline semblait sincère; ses traits étaient tirés, elle n'avait sûrement pas dormi.

— C'est du joli, tu n'as absolument pas de discernement quand il s'agit des sentiments; dans tous les autres domaines tu excelles. Que ce soit en affaires, au golf, partout tu domines; quand il s'agit des questions du cœur, là, zéro!

— Qu'en sais-tu?

— Ma souffrance? Tu n'en connais ni le début ni la fin. Tu en parles à ton aise; oui, bien sûr, de savoir comme ça, subitement que j'étais au courant de ta trahison dut beaucoup te secouer et t'émouvoir, tu cachais si bien ton jeu; cela t'a désarmée d'apprendre que je savais tout. Mais avant que je te le dise, as-tu une idée, une toute petite idée de ce que fut mon agonie? Une agonie qui a perturbé toute mon enfance. Ah! Épargne-moi l'expression de tes profonds regrets, je n'en ai que faire!

— Comment as-tu su?

— Voilà, nous y sommes, c'est ce qui te préoccupe le plus. Tu veux savoir où et quand tu t'es trompée. Non, il n'y a rien à faire, rien à se dire sur le sujet.

— Alors, écoute-moi. Une dernière fois, si tu veux, mais écoute-moi. Je ne veux pas me justifier, je ne cherche qu'à m'expliquer. Raconte tout à ton père si tu le veux, mais épargne tes sœurs; partager ton secret avec eux n'allégerait pas ta peine.

— Mes sœurs, sont-elles mes sœurs ou des demi-sœurs?

— Diane! Diane! Je t'interdis!

— Tu interdis, tu trahis. Alors?

— Diane!

Pauline se leva, frappa le rebord de la table avec sa main.

— Tais-toi et écoute. Après je t'écouterai, en silence, et tu pourras me condamner, mais pas avant de m'avoir entendue.

Pauline cherchait ses mots; le chagrin ou peut-être la honte crispait ses traits.

— Le tout a débuté il y a longtemps de la façon la plus saugrenue qui soit. Ton père dut s'absenter pour affaires. J'étais seule à la maison avec un jeune bébé et j'étais enceinte d'un autre. Je tombai, heurtai ma tête contre un meuble et m'évanouis.

Maurice m'avait prévenue qu'il viendrait me porter certains documents qui requéraient une signature. Il entendit pleurer un enfant et s'étonna que je ne réponde pas à la porte. Il entra et me porta secours.

Bref, pour ne pas entrer dans les détails, notre amitié déjà existante se resserra. Le travail accaparait de plus en plus ton père, me laissant donc de plus en plus seule avec la charge de la maison en plus de celles qui m'incombaient au bureau.

— Un crime! s'exclama Diane.

— Oui, un crime. Un crime envers la femme qui s'ennuie, envers les enfants à qui leur père manque, envers la famille qui forme un bloc, un tout compact, inséparable, qui a besoin de beaucoup plus que du simple confort physique, qui a droit à un peu d'amour et de tendresse. On exige de la femme qu'elle soit belle, présente, bonne cuisinière, excellente infirmière et j'en passe. En sus de ces vertus capitales, il lui en faut d'autres particulières: force, fidélité, compréhension et les autres, théologales cette fois, la foi, l'espérance et la charité, sauf que c'est l'homme qu'elles ont pour objet. La femme se doit d'être stoïque avec elle-même, généreuse avec les autres.

— Tu as fini de me rebattre les oreilles avec tes

propos féministes usés à la corde à force d'être répétés?

— Voilà! Tu m'enlèves les mots de la bouche! Propos qui demeurent stériles!

— Que vient faire Maurice là-dedans?

— Tu ne comprends pas? Tu ne veux pas que je répète le problème, mais tu exiges que je le vive!

— Mais, satanée affaire, que vint faire Maurice là-dedans?

— Ah! oui, Maurice. Maurice, ma chère, s'est trouvé là, tout simplement. Des liens se sont tissés entre nous, des liens étroits que nous ne ressentions pas le besoin de briser, car ils n'affectaient en rien le respect et l'amour voués à ton père.

Diane, médusée, regardait fixement sa mère. Pauline se tut et, après avoir réfléchi pour résumer sa pensée, poursuivit:

— L'idylle prit naissance tout doucement; nous vivions à trois, dîners d'apparat, dîners d'affaires, tête-à-tête pour discuter travail. Ce qui devait arriver arriva, sans préméditation, un soir de tempête, une tempête terrible qui avait fermé les routes.

— Et tu ne rentras que le lendemain et j'avais passé la nuit le nez collé à la fenêtre, morte d'inquiétude, et Maurice t'a levée de terre pour t'aider à sauter un banc de neige, tu l'as remercié de façon dégueulasse!

— Oh! Diane.

— Ne me touche pas, ne me touche surtout pas. Qui avais-je, moi, pour me border? Papa quand il était là. Qui avais-je, moi, à aimer? Papa, quand il était là. Moi aussi j'attendais papa mais avec mon cœur, pas avec mes fesses! Comme toi!

— Diane!

— Tu vois, je la connaissais ton histoire, tissée de

complaintes et de lamentations, je peux même t'aider à en reconstituer le récit jusqu'à la fin: en femme forte et honnête, tu as lutté, en femme forte et franche, tes infidélités conjugales ont été le drame de ta vie. Tu aimais papa d'un amour profond, mais tu aimais aussi l'autre. Et papa est mort, pour n'avoir commis qu'un crime, un seul: s'être permis quelques mois de repos après tant d'années de lutte et de travail pour monter une affaire, nourrir des enfants, payer des bâtons de golf, des grosses voitures. Dans un ravin a glissé son univers en même temps que sa grosse bagnole. Voilà qui arrangeait tout le monde. Et vos consciences de caoutchouc. Hop là! on se pardonne, on se réconcilie, on pleure la mort de l'intrus avec le même mouchoir de papier. Et bang! on se remarie. Tu n'avais pas le droit! Tu n'avais pas le droit!

— Pouvais-je prévoir?

— Tu n'entends pas ce que je dis, tu n'as plus le haut du pavé alors tu flanches.

— Pouvais-je prévoir? hurla Pauline.

— Non, maman très chère, tu ne pouvais pas prévoir qu'il reviendrait. Je suis même sûre et certaine que tu as un instant pensé qu'il avait deviné ton stratagème... Tu vois, j'ai misé juste, tu pleures, tu as cru que tu étais la coupable de sa disparition, mais les preuves manquaient pour appuyer ta théorie, alors tu t'es tournée vers le destin. Le destin avait permis, le destin réparait l'erreur qu'il avait commise, le destin permettait à ton amour fou de se légitimer, par la grâce de Dieu. Que c'est louable! Ensemble vous pourrez dorénavant poursuivre l'œuvre si brillamment amorcée, la roue d'engrenage a recommencé à tourner, dans la pureté, cette fois, dans l'innocence: on vieillira enfin ensemble, unis dans la vie passée, et dans le présent et jusqu'au prochain ravin. Amen! Et Maurice jure: il veillera sur ton pain, sur ton sein! Toutes les flammes de l'enfer se sont éteintes après avoir allumé celles du ravin; nous voilà purs, purifiés et beaux comme d'innocents chérubins.

Pauline pleurait et laissait le déluge d'injures s'échapper de la bouche de sa fille. Mais trop, c'était trop. Elle se leva, s'approcha de Diane.

— Suffit, tais-toi. Tais-toi ou sors. Tu es ici chez ta mère! Ta peine ne te permet pas de...
— Tu n'avais pas le droit! hurla la fille désespérée.
— Sors, Diane, va vers ton père, tu reviendras me voir quand tu seras en mesure de raisonner.
— Oui, j'irai vers mon père, comme il est venu vers moi, après t'avoir trouvée dans les bras d'un autre. Mais ne répète pas trop vite que je suis ici chez toi; en tout cas, Maurice, lui, est mieux de...

Pauline ouvrit la porte et invita Diane à sortir d'un geste qui ne permettait pas d'équivoque. De la fenêtre, elle vit sa fille se laisser tomber sur un banc qui ornait l'entrée. Mère et fille pleuraient sur un seul et même drame social: le manque de dialogue.

***

Joël ouvrit doucement la porte; il ne voulut pas réveiller sa fille. Elle était là, couchée sur le divan; des mouchoirs roulés en boule jonchaient le sol; elle avait tant pleuré. Pour l'instant, elle tentait de freiner sa peine, refoulait ses pleurs, mais tout son être était secoué de spasmes qui la trahissaient.

Joël se pencha si près que leurs visages se touchaient presque; le père tenta de badiner.

— Ah! la confrontation ne fut pas facile!
— La barbe! Tu n'es donc plus capable de sérieux?
— Bon, bon. Je n'ai rien dit. Bonsoir.

Joël s'éloigna; il n'avait pas, lui non plus, eu une soirée très facile, il lui avait encore fallu s'expliquer, écouter, tempérer. Et il commença à ressentir une certaine répugnance à devoir se justifier aux yeux d'êtres chers de qui il attendait compréhension et sympathie. Diane l'interpella.

— Papa.

Joël revint, s'arrêta, et sans un mot attendit que Diane parle.

— Je comprends que la situation soit difficile, les choses se corsent; je vais te faciliter la vie, tu as raison, je dois retourner en France pour parfaire mon éducation. Je vais te laisser le champ libre, je partirai tel que suggéré. Ça va, tu es content?
— Oui, pour toi, mais pas de la façon dont tu expliques la raison de ton départ.
— Écoute, papa, nous nous tombons tous mutuellement sur les nerfs, c'est malsain. Dans toute cette histoire, il n'y a pas de coupables, mais il n'y a pas d'innocents non plus, réfléchis bien. Continuez votre guerre intestine sans moi. Vous n'avez pas su dialoguer jusqu'à maintenant, j'ai l'impression que vous mettez les bouchées doubles. Depuis un quart de siècle, vous vivez une situation malsaine et il a suffi qu'une étincelle, un certain soir, mette le feu à un certain véhicule pour que vous redescendiez sur terre, toi, elle et l'autre. Et nous, dans tout ça, les seuls réels innocents, seulement coupables d'être nés sous votre toit tout à fait accidentellement, on nous accuse de bruta-

lité à votre endroit: deux poids, deux mesures. Grâce à Dieu, nous sommes parvenus à un âge où nous pourrons survivre. Alors allez-y gaiement, battez-vous à loisir, lancez-vous la balle de la culpabilité, moi je ne resterai pas là à vous écouter et à vous servir d'arbitre. Je retourne là-bas. C'est fini, papa, j'ai dit ce que j'avais à dire. Merci de m'avoir écoutée patiemment. Une dernière supplique: ne m'impose pas ton visage défait plus longtemps. Bonsoir, papa.

Joël courba le dos, accablé. Il se dirigea vers son lit et s'y laissa tomber.

— Cette enfant a mille fois raison.

Et Joël s'endormit, moralement épuisé.

***

Diane insista, elle ne resterait pas davantage auprès de son père; la situation fort délicate ne concernait que les intéressés immédiats; après mille exhortations plus minutieuses les unes que les autres, elle le quitta avec regret.

L'annonce du retour de l'homme ne fut pas sans provoquer de grands remous, des situations souvent cocasses qui allaient du comique au tragique.

Des factures impayées rebondirent sur la table de travail du comptable de la compagnie, qui s'adressa à Joël:

— Quelles dispositions entendez-vous prendre concernant votre monument? Oh! pardon, le monument sur lequel figure votre nom. Je veux dire...

Plus il parlait, plus il s'empêtrait; quand enfin Joël comprit de quoi il s'agissait, il s'esclaffa. Ainsi, sa pierre tombale causait de grandes inquiétudes à son fournisseur: le graveur fut-il rémunéré pour son travail d'artiste? Devrait-il conserver cette stèle pour un usage futur? Sera-t-il possible alors d'apporter une correction à la date gravée? Pourquoi ne pas la garder? Après tout, la mort est notre lot à tous!

Un jour, il croisa la femme d'un confrère accompagnée de son enfant, un garçon d'une douzaine d'années. Ce dernier, en apercevant Joël, crut se trouver en présence d'un fantôme, il se mit à hurler et se blottit contre sa mère. Celle-ci, interloquée, tentait de réconforter son fils et criait à Joël: «Vous, disparaissez et tout de suite!» Joël resta là, éberlué. «Disparaissez, je vous dis!» répéta la femme. Ah! la magie des mots!

Au centre commercial, il croisa un ami de toujours qui n'avait pas été informé de sa résurrection. Il s'en approcha et lui tendit la main.

— Bonjour, Pierre, ça va?
— Le diable m'emporte si ce n'est pas Boissonneau! Tu es mort, toi! cria l'homme en le pointant de l'index, tu es mort!

Et il se mit à reculer, le regard effaré.

— Tu es mort, Boissonneau, tu es mort!

Et l'homme continuait de reculer toujours en criant.

— Tu es mort, tu es mort, Boissonneau!

Les gens témoins de la scène s'amusaient du spectacle plutôt loufoque. Pierre recula jusqu'à ce qu'il aille basculer dans la fontaine qui décorait le mail. Il se débattait maintenant dans l'étang et continuait de répéter son refrain: tu es mort, Boissonneau, mort!

Les ennuis n'en finissaient plus de se multiplier: lorsqu'il se rendit chez un concessionnaire d'automobiles pour prendre possession de la voiture qu'il avait achetée quelques jours plus tôt, il remit un chèque pour en effectuer le paiement. Au moment où il allait partir, le vendeur vint vers lui et nerveux, surexcité, lui tint des propos décousus que Joël avait peine à comprendre mais qu'on lui expliqua plus tard. En voyant la signature sur le chèque, au département de la comptabilité, on crut que l'acheteur avait usurpé l'identité de Joël présumé décédé et on prévint le vendeur de retenir l'intrus. Une voiture de la police arriva bientôt sur les lieux et Joël fut conduit au poste de police où il dut s'expliquer.

D'autres incidents ne manquèrent pas de se produire: «J'ai retrouvé la vie mais, semble-t-il, j'ai perdu la paix!» ne put-il s'empêcher de penser.

Un matin, Mariette se présenta devant son patron.

— J'ai en main une lettre qui fut expédiée à la compagnie mais l'enveloppe porte la mention de la remettre en main propre à monsieur Maurice.
— Ne vous formalisez pas outre mesure, Mariette, ouvrez le pli.
— Ah! s'exclama la secrétaire.

Joël leva les yeux, Mariette semblait embarrassée.

— Donnez, fait le patron.

Et ce qu'il lut, l'amusa. L'offrande de deux grands-messes qui seraient chantées pour le repos de son âme s'ajoutait à une lettre d'excuses pour le retard mis à faire parvenir ce message de condoléances.

Joël ne put manquer de penser à Pauline. Était-elle aussi aux prises avec de telles situations équivoques?

Il n'avait pas encore trouvé le courage d'affronter son épouse; il avait besoin de bien réfléchir à toutes les facettes de la situation, ce qui lui semblait de plus en plus difficile à faire. Tout était ambigu, leurs sentiments personnels étaient remis en question; il penserait aux recommandations de sa fille Diane qui lui faisait remarquer qu'on ne traite pas les problèmes du cœur comme s'il s'agissait d'une affaire à régler. Oui, il laisserait le temps courir, ce serait en leur faveur. Il n'osait pas s'avouer qu'il lui était infiniment pénible de lui pardonner l'aventure qu'elle avait vécue avec Maurice. Certains jours, cette pensée lui faisait un mal cuisant, d'autres, il ressentait de l'indulgence, une grande indulgence envers celle qu'il avait tant aimée et à qui il aimerait pardonner. Des sentiments qu'éprouvait présentement Pauline, il ne savait rien et avait peur. Aussi, il attendrait.

Joël n'avait pas été aussi indulgent envers Maurice. Il prit les dispositions nécessaires pour que légalement l'entente qui les avait liés si longuement soit dissoute et avec toute la bonne grâce dont il était capable, il élimina tout ce qu'il y eut de commun entre eux.

On l'informa que son ex-associé avait quitté la région pour refaire sa vie ailleurs.

Un soir, avec nostalgie, il se dirigea vers ce foyer où

il avait connu tant de bonheur. La lumière brillait au salon; derrière la fenêtre se trouvait Pauline dont l'attention semblait prise par les images de la télévision. Il ralentit la voiture, mais n'eut pas le courage de faire les premiers pas. Il voulait trouver au fond de lui-même la certitude qu'il pouvait pardonner, entièrement, sans mesquinerie, sans réserve, mais ce soir il ne l'avait pas, cette capacité d'entreprendre un dialogue sain et sans amertume; il était trop bouleversé. Oui, il attendrait.

Au travail, il mettait les bouchées doubles, vaquait à ses obligations avec véhémence, son ardeur l'aidait à oublier. Les choses rentrèrent lentement dans l'ordre; il sentait bien parfois que certaines questions mouraient sur les lèvres de ses interlocuteurs, de ses amis, mais il évitait le sujet par trop délicat et personnel: toute cette histoire le concernait, lui.

***

Il était tôt, Joël lisait le journal avant de commencer sa journée de travail. Un représentant de la loi se présenta et lui remit un pli timbré le priant de signer l'accusé de réception; il inscrivit l'heure qu'il était, 9 h 02.

Joël attendit d'être seul, il ouvrit l'enveloppe et jeta un coup d'œil sur le document. Pauline demandait le divorce. À la requête se joignait une foule de demandes connexes. Joël ferma les yeux, son cœur s'attrista. Il gardait la main sur cette paperasse qui trancherait les difficultés face à leur situation, sectionnerait leur vie de couple, diviserait les avoirs des conjoints, remettrait tout en question, marquerait leur avenir, plongerait le couple et la famille dans le désarroi.

Des procédures, longues, ardues, qu'il faudrait mener à bien sans trop se faire de mal, sans aigreur, avec dignité, comme s'il était possible de souffrir, de se dépouiller, de disjoindre ce qu'on a pris des années à cimenter, comme ça, par un simple geste de la volonté. Joël avait froid dans le dos. Il pensa à Maurice et ferma les poings, touché profondément dans sa virilité de mâle!

Était-ce trop tard? Ferait-il une tentative de réconciliation? Qui était le coupable? Et de quoi? Un jeu complexe d'événements fortuits, un coup bas de la fatalité? Un manque de compréhension et de générosité? Et le vilain sentiment de la culpabilisation faisait son cheminement dans la cervelle de cet homme atterré et souffrant.

Il plia la liasse de papiers sur laquelle les caractères d'imprimerie dansaient, les déposa dans la poche intérieure de son veston et tenta désespérément d'adapter ses pensées, cherchant à accepter ce fait nouveau. Mais il n'y parvenait pas: jamais il n'aurait cru que l'on pouvait aussi aisément mettre un terme à une vie passée à préparer un avenir.

Comme ça, un jour, le chez-soi n'est plus, il faut emprunter une route nouvelle, différente, cesser de penser à sa femme en terme d'épouse, reprendre la liberté du célibataire à laquelle on a renoncé une fois pour toutes en épousant celle à qui on vouerait sa vie.

Dans sa tête se précipitaient des images, les enfants petits et bruyants, une épouse jeune et radieuse, un nid que l'on rend de plus en plus douillet...

Il sortit, prit sa voiture et alla promener ses pensées

tristes jusqu'au lac Memphrémagog, emprunta un sentier où il immobilisa la voiture et laissa la peine le subjuguer. Mille souvenirs doux l'assaillaient: «Pauline est une femme altière et très sincère, la double vie qu'elle menait la faisait sûrement souffrir. Ce ne fut pas facile tous les jours, j'en ai la profonde conviction; son tempérament, sa détermination ont sûrement dicté ses décisions. Elle sait à quel point je la vénère et sans doute sait-elle aussi que nos relations ne pourront plus jamais retrouver leur caractère original. Quelque chose est irrémédiablement brisé, les stigmates feront mal longtemps. Nous sommes tous deux des têtes fortes, ni l'un ni l'autre ne voudront prétendre que rien ne s'est passé; il n'est pas question de finir nos jours dans la désillusion ni dans la fausseté.»

Un oiseau descendit en plongée, s'ébattit un instant au niveau du lac et reprit son envol. Joël le regardait mais ne le voyait pas tant ses réflexions étaient profondes et ses pensées lointaines.

Lorsqu'il reprit le chemin du retour, la paix était revenue dans son cœur.

Quand sa peine se serait atténuée, il aurait un sentiment de reconnaissance envers Pauline qui avait su prendre l'initiative de la seule décision possible dans les circonstances.

Chapitre 13

Carmen renonça à l'idée de passer une autre soirée au casino. «Madame Minerve serait-elle de retour? La chère dame sait comment me rejoindre, j'attendrai qu'elle se manifeste.»

Carmen chaussa des souliers plats, releva ses cheveux; elle irait se promener, elle errerait, se laisserait mener par ses pas. Elle traversa la jetée, pénétra dans San Juan; la ville était achalandée, les touristes affluaient, les vitrines bien garnies se faisaient alléchantes. La vue d'un enfant qui luttait avec une glace que les rayons du soleil faisaient fondre lui en donna envie; voilà que le bambin pleurait; la boule rose venait de tomber sur le trottoir.

— Viens avec moi, lui dit Carmen.

Il s'arrêta, la regarda de ses beaux grands yeux bruns et tristes. Il ne comprenait pas ce qu'elle lui disait.

— *¿Vienes conmigo?*, hasarda-t-elle, avec un geste invitant.

Il hésita, eut un pâle sourire, et sa menotte collante se glissa dans la main offerte. Ensemble ils pénétrèrent dans le paradis des glaces; les yeux de l'enfant, tout à coup rieurs, devinrent immenses d'avidité. Le garçonnet faisait plaisir à voir; son visage barbouillé et sa chemise souillée absorbaient plus de glace que sa bouche gourmande.

Carmen sourit, tenta d'essuyer le trop-plein à l'aide de serviettes de papier. Sa jolie frimousse était tout sourire. Il se lécha les lèvres, s'essuya la bouche du revers de sa manche et pivotant sur ses talons, s'élança vers la porte de sortie: «*Gracias, señorita*», dit-il avant de disparaître.

La chaleur à l'extérieur faisait contraste; Carmen marcha sans but précis pour s'apercevoir qu'elle s'était égarée. Elle s'arrêta, pivota sur ses talons, aperçut les hôtels qui dépassaient en hauteur repérant ainsi le chemin du retour. Le hasard la mena au *Café*.

Elle hésita un instant puis entra. Les souvenirs affluaient, moins amers. Elle méditait, ressassait ses pensées, fouillait en son for intérieur. «Je m'ennuie, c'est bien simple, je m'ennuie. Je me suis apitoyée sur moi-même au point de fuir le monde. L'incident de cet après-midi me le prouve. La joie de cet enfant ne fut rendue possible que par ma disponibilité. Je n'échappe pas au commun des mortels, je vis en recluse et je me rebiffe à la pensée de ressentir la solitude. Le bonheur n'a pas à venir vers moi si je ne l'invite pas, raisonnement simple mais logique.» Carmen inclina la tête: «Papa me tiendrait de tels propos.»

Les jours qui suivirent furent moins sombres. La retraite de Carmen était voulue. Maintenant qu'elle l'admettait, son cœur s'allégeait des lourds fardeaux que son inconscient avait emmagasinés à son insu et auxquels elle faisait maintenant face. Tout lui semblait plus simple, comme si un voile nébuleux en se déchirant tout à coup lui rendait sa lucidité.

La solitude, la mélancolie laissaient place à la nostalgie.

***

L'aube pointait, la mer striée de bleu et de turquoise roucoulait, le sable scintillait sous les reflets flamboyants de l'astre royal. Carmen foulait le corail blond et chaud, y enfouissait ses orteils, se penchait occasionnellement pour examiner un coquillage qu'elle rejetait négligemment à la mer et le regardait s'y perdre. Comment pourrait-on ne pas être heureux devant tant de calme et de beauté? Pourtant, il y avait à peine quelques jours, elle ne communiait pas avec les charmes de la nature.

Elle marcha vers les bosquets derrière lesquels elle saurait découvrir la pergola qui mène au jardin d'Esté comme elle le désignait dans son cœur. Il était différent à cette heure matinale. Les jeux de lumière et d'ombre lui donnaient un cachet mystérieux, le ru gazouillait, les oiseaux piaillaient et picoraient, la rosée se dégageait du feuillage, chaque gouttelette s'étirait langoureusement avant de se laisser choir sur le sol.

Le silence était impressionnant, la nature à son plus beau, les lieux invitaient au recueillement. Carmen flâna, se laissa envahir par le charme ambiant. Lentement, elle arpenta ces sentiers qu'elle avait parcourus au bras de Joël. Son âme était en paix, une paix qu'elle savourait pour la première fois depuis très longtemps.

Elle revint sur ses pas, s'attabla à la terrasse, à l'endroit même où Joël était assis et se souvint de la joie qu'elle ressentait alors. Peu à peu, autour d'elle, la vie reprenait son cours, bientôt les vacanciers auraient envahi la plage. Elle eut l'impression d'avoir possédé, à elle seule, l'aurore d'un jour.

Une fois arrivée à sa chambre, Carmen reprit la lecture du roman historique de Druon. Cette fois l'auteur retenait son attention et savait la captiver: les intrigues de la cour de France si brillamment exposées fascinaient la jeune femme qui oubliait les heures qui filaient.

Elle n'avait plus que le temps de se faire une beauté, de dîner et elle se rendrait au casino. Elle allait, allègrement, libérée de toute contrainte, toute angoisse s'étant dissipée; les conflits intérieurs s'étaient résorbés laissant place à une profonde quiétude.

Joël lui avait fait connaître des heures douces empreintes de bonheur; une fois de plus des sentiments profonds et tendres avaient ensoleillé sa vie. Son intrusion dans sa vie lui permettait de comprendre que l'amour de ses parents, si longtemps goûté, devrait lui inspirer un sentiment de profonde reconnaissance. «Nul n'est tenu de m'aimer.»

L'amitié qu'elle vouait à Joël, faite de douceur et de tendresse, permettait l'éclosion d'émotions d'une grande limpidité. La tristesse causée par son départ avait donné place à de beaux, d'inestimables souvenirs qui lui fournissaient l'occasion de se réconcilier avec la vie.

La présente quiétude durerait-elle? N'était-elle qu'une impulsion très vive du moment, était-ce seulement le soubresaut d'une âme vaillante qui tend désespérément les bras vers l'espérance? Peut-être, malgré tout le cheminement demeurait, marquait un pas dans la bonne voie, générait l'espoir.

***

Carmen voulait se prouver à elle-même qu'elle ne se leurrait pas. Puisqu'elle se trouvait sur les lieux et qu'elle devait y demeurer elle se mettrait à l'épreuve. Elle fouilla le fond de ses sacs, réunit les jetons et s'achemina vers le casino. Elle s'attabla. Le banquier avait les yeux verts, ce qui la fit sourire: elle aurait de la chance, une autre de ses superstitions. Les pontes de ce soir ressemblaient à tous les autres, leur attention était concentrée sur les cartes.

Un perdant regarda sa montre-bracelet et s'excusa: «Ma femme m'attend» et il s'éloigna précipitamment. «Non, rien ne change, pensa Carmen. J'irai encaisser les jetons restants et me rendrai au bar, choisirai une table près de la grande fenêtre qui donne sur la ville illuminée.»

Carmen fit un détour, alla lentement, erra entre les tables, toutes occupées. Oh! surprise! madame Minerve était là, non loin du lieu où elle jouait un instant plus tôt.

— Bonsoir, madame Minerve.
— Bonsoir, mon enfant.

Madame Minerve avait repéré la présence de Carmen dès son entrée dans le casino; par discrétion, elle choisit une table légèrement en retrait. Voilà qu'elle récupérait ses jetons et s'approchait de Carmen, posait une main sur son bras et lui faisait une caresse. Elle semblait triste, ses traits étaient tirés: «Allons au bar, vous voulez bien?»

Carmen accorda son pas au sien: «J'y pensais justement.» L'endroit était presque désert. Madame Minerve commanda une eau Perrier.

— Un Cola, demanda Carmen.
— Ça n'a rien d'un remontant!
— Je n'en ai pas besoin; enfin, disons que ce soir je n'en ai pas besoin!
— Voilà! dites-moi, Carmen, que s'est-il passé en mon absence? Quelque chose de merveilleux? Vous êtes on ne peut plus rayonnante. Je ne saurais préciser quoi, mais vous semblez si détendue, si sereine, le bonheur se lit dans vos yeux.
— La paix intérieure, peut-être.
— Là, ma chère enfant, vous touchez du doigt un bien gros bobo. La paix intérieure...

Le visage de la dame s'était tout à coup assombri. Carmen s'empressa de demander:

— Vous avez fait bon voyage?
— Non, j'ai fait un affreux voyage!
— Vous semblez très lasse.
— Oui, mon petit, merci d'avoir la franchise de me le dire, merci... de vous soucier de moi.

Sa voix s'était brisée, ses yeux, embués. Carmen ressentait un grand malaise, ne savait pas quelle attitude prendre.

— Je tenais tant à vous revoir! Je craignais que vous soyez partie avant mon retour.
— J'avais promis.

Madame Minerve baissa la tête et murmura:

— Carmen...

Puis il se fit un lourd silence que Carmen n'osa rompre. Les mots ne semblaient pas vouloir s'échapper des lèvres de la dame. Elle secoua la tête, leva les yeux au ciel, soupira et d'une voix empreinte d'émotion dit simplement:

— Ce monsieur, vous savez de qui je parle? Le gentilhomme avec lequel vous vous êtes baladée quelquefois, a-t-il donné signe de vie?

«Ça alors!» pensa Carmen. «Elle sait tout!» La dame toussota, comme pour se donner une contenance et enchaîna:

— Une perle, c'est une perle, cet homme.

— Oui, vous avez raison, mais la perle est mariée et fidèle à sa famille.

— Je l'aurais juré! Les hommes de ce calibre sont de plus en plus rares de nos jours, et jamais libres. Dommage. Mais vous croiserez l'amour sur votre route, le grand amour, je vous le prédis.

— Le ciel vous entende! madame Minerve.

— L'amour, c'est tout ce qui compte. Rien ici-bas ne saurait compenser le bonheur d'aimer. C'est la plus grande des fortunes, c'est un superpouvoir; l'amour élimine l'inquiétude, le doute, les plus grands déboires fondent devant lui. Aimer, c'est le repos du cœur, la paix de l'âme. Aimer, c'est vivre! s'épanouir. Aimer donne une orientation merveilleuse à la vie, l'assoit sur des bases solides. L'amour est éternel, même s'il se perd ou s'étiole, car il est une oasis dont le mirage survit même s'il reste figé dans un passé qui, lui, ne revient plus. Il garde à jamais, en nos cœurs, l'empreinte des jours ensoleillés par des souvenirs merveilleux.

À son tour, Carmen se sentait triste. Oui, madame Minerve avait raison, Joël n'avait fait que passer dans sa vie et avait réussi en ces quelques jours à lui faire connaître l'émerveillement en lui donnant tant de joie! Ça lui faisait aussi très peur car il lui avait, à son insu, souligné ce qu'elle souhaitait trouver chez un compagnon de vie. «Aurai-je l'occasion de rencontrer son double?» pensa-t-elle.

— Dites-moi, Carmen, à quoi pensez-vous, en cette minute même?

Et Carmen tenta de le lui exprimer.

— Soyez sans crainte, en amour, la qualité doit l'emporter sur la quantité: le cœur qui butine beaucoup risque de devoir se contenter de pollen. En vous sommeillait un rêve inavoué, longtemps endormi, qui subitement a pris forme lorsque vous avez rencontré l'âme sœur.

Les discours que tenait madame Minerve éveillaient en Carmen le souffle brûlant d'amour qui émanait des yeux sombres de Joël. Ce grand bonheur ne l'avait qu'effleurée, elle n'en percevait pas encore la profondeur, l'ampleur, mais il la laissait perplexe, inquiète: «De simples moments de volupté volés à la vie, qui m'ont donné la soif d'aimer et d'être aimée.»

Madame Minerve souriait, elle hochait la tête, regardait Carmen, cherchait à capter son attention.

— Ce qui me manque le plus est la galanterie d'Octave, son amour, sa chère présence et tout ce que ça représente. Ah! ces années d'un merveilleux bonheur, ces années folles, comme on les qualifie aujourd'hui, une vraie féerie! Oui, l'amour rend grandioses jusqu'aux petits riens en leur conférant des mérites infinis...

D'une voix tintée de tristesse elle parlait du passé, de sa vie de couple. Après un soupir elle ajouta: «Voilà que je pleure encore sur ma solitude! Qu'il est pénible d'être vieille et seule! On a toujours le sentiment qu'on ne nous pardonne pas d'être là, les gestes courtois ressemblent à de la condescendance, on a plus d'identité propre. Je deviens gâteuse, peut-être est-ce le fait de jeter mes états d'âme sur papier? Vous savez, Carmen, je tiens mon journal. Aujourd'hui, précisément, je lui ai confié des secrets très intimes qui, un jour peut-être, jetteront un peu de lumière sur mes agissements... Ce n'est pas aussi facile que ça semble de livrer son âme. Les mémoires que laisse un être sont-ils toujours le reflet de l'exacte vérité? Croyez-moi, Carmen, j'essaie d'être sincère.»

«Pourquoi, pense Carmen, sent-elle le besoin d'être aussi explicite?» La jeune femme se sent gênée par ces confidences intimes. Elle veut faire diversion.

— Que diriez-vous d'une sortie dans la nuit?

Madame Minerve regarda Carmen, les yeux pétillants d'envie.

— Tarte aux pommes chaude, thé glacé.
— Tentatrice.
— Venez, nous partons.

Carmen offrit son bras que madame Minerve accepta avec fierté; elles allaient lentement, traversaient le casino. Carmen observa la dame dont les yeux se promenaient sur l'assistance, en donnant l'impression de ne voir personne: la discrétion d'une grande dame.

À un certain moment, madame Minerve appuya un

peu plus fort sur le bras de sa compagne, inclina la tête et dit à voix basse:

— Vous voyez la dame au turban près de la table de baccarat? Elle possède une fortune colossale, elle est l'unique héritière des céréales Orgebléson qui se vendent de par le monde; être si bien dotée et avoir perdu toute occasion d'être aimée... Elle résiste à la mode nouvelle faite d'un laisser-aller qui favorise le plaisir et s'acharne aux toilettes pailletées de strass, ce qui lui confère un genre rétro: c'est introduire le rococo dans la cathédrale gothique. Mais on la remarque, c'est ce qu'elle veut. Hélas! la pauvre! Elle capte l'œil mais là s'arrête son charme: elle fait tapisserie... elle ne vit que pour son dieu: le jeu.

La dame se moquait gentiment, parlant sur un ton railleur mais sans méchanceté; ses yeux riaient. Elle allait du pas lent et hautain de celles qui sont habituées à être regardées. Elle gardait la tête tournée vers Carmen et souriait, donnant à celle-ci l'impression d'être accompagnée de quelque comtesse échappée de la nuit des temps.

Sitôt traversés les lieux achalandés, madame Minerve soupira, s'appuya plus lourdement au bras de la jeune femme et adopta des manières moins affectées.

L'éternel féminin, pensa Carmen qui s'arrêta et pointa du doigt la voûte céleste.

— Regardez ce ciel étoilé, pas un nuage, la nuit est douce et belle.

Madame Minerve, sans doute fatiguée par la marche, avait les joues rosies, les yeux brillants.

— Pensez donc! Moi, dehors la nuit, quelle incartade! Mon cœur est si joyeux qu'il fait des soubresauts telle une sauterelle qui se trémousse dans un champ de foin!

— Vous êtes charmante, madame Minerve, charmante et attachante.

— Taisez-vous!

Elle battait l'air de sa main, comme pour chasser un encombrant moustique.

En cette minute attendrissante, Carmen ressentit le désir fou de s'épancher, de parler à cœur ouvert de cette passion du jeu qui l'avait si longtemps obsédée. «Non, je ne romprai pas le charme, pas ce soir. Elle est sans doute la personne la mieux placée pour me comprendre et m'expliquer ma folie. Mais elle est si heureuse, d'un bonheur tout enfantin, je n'ai pas le droit de jeter une ombre au tableau.»

— Qu'est-ce qui vous tracasse, à l'instant même?

— Comment savez-vous que je suis bouleversée?

— Oh! ma chère enfant...

— Je pensais à Joël, se crut obligée de mentir la jeune femme.

— Dans ma jeunesse, on appelait cette sorte de mensonge blanc une menterie. Quand vous pensez à Joël, vous irradiez.

Le verre de thé suintait sous l'effet rafraîchissant de la glace. Madame Minerve prit la tranche de citron qui l'ornait, en croqua la chair. Puis, levant son verre, elle fit un vœu: à vos amours, Carmen. Et elle entama la pointe de tarte.

— Succulente!

— N'est-ce pas?

Madame Minerve continua de discourir sur mille sujets anodins avec l'aisance qu'ont les diplomates de parler beaucoup pour dire peu.

Elles revinrent vers l'hôtel et Carmen la reconduisit jusqu'à sa suite. Un instant, madame Minerve retint la main de Carmen et la regarda de ses yeux embués de larmes.

Affectueusement la jeune femme entoura les épaules de la dame, l'attira vers elle, prolongea l'accolade avec toute l'affection que lui dictait son cœur.

Madame Minerve se dégagea doucement de l'étreinte et entra chez elle. «Cette femme a un bien gros chagrin, songea Carmen, elle est sous le coup d'une émotion très vive. Qu'a-t-il bien pu se passer qui l'ait émue à ce point? Je n'ai pas eu le courage de lui faire mes adieux; serait-ce la pensée de mon départ qui l'attriste à ce point? C'est impensable! Elle était déjà très triste quand je l'ai aperçue au casino. Elle semblait hésitante, pourquoi m'avait-elle priée de ne pas partir? Elle ne m'a rien dit qui soit de nature à expliquer cette requête, c'est étrange. À quelques reprises, elle me parut sur le point de me confier ses peines, mais n'a pas osé!»

***

Carmen se réveilla de bonne humeur. Elle se réjouit à la pensée de retourner chez elle. De son séjour dans cette île lointaine, elle garderait de bons souvenirs dont le moindre ne serait pas ce bref amour de vacances.

Le visage triste de madame Minerve occupa un instant sa pensée. «Je lui dirai un dernier bonjour et je lui ferai expédier ces roses blanches que monsieur Octave aimait tant...»

Elle entassa les toilettes élégantes, les minuscules sacs de fantaisie; un jeton écarté roula sur le tapis, elle le ramassa, le regarda, s'étonna encore de son indifférence, elle le jeta au panier puis le reprit: «Je le garderai en souvenir. Eh! mais gros monsieur, je ne l'ai jamais revu; serait-ce là l'explication du grand chagrin de madame Minerve?» Elle revit la scène, elle trottinant derrière l'autre qui se sauvait...

La beauté virile d'un Joël fringant s'interposa un instant dans l'esprit de Carmen; elle secoua les épaules et se hâta de finir de ranger ses vêtements. Elle irait une autre fois au *Café* et au jardin d'Esté, un genre de pèlerinage d'adieu, mais d'abord elle irait nager quelques brasses dans l'eau de mer, une dernière gâterie.

***

Carmen, couchée sur le dos, se soutenant sur l'eau par des mouvements qu'elle voulait les plus lents possibles, s'amusait à apprécier le principe d'Archimède. Le soleil, ardent, l'obligeait à garder les yeux fermés; ses rayons dardaient, l'incitant à plisser les paupières. Lentement la mer la ramenait vers le littoral, au caprice de vagues légères qui se moussaient en écume avant de s'étirer sur la rive. Des gouttelettes se détachaient de l'onde et aspergeaient son visage. Carmen goûtait une détente parfaite, envoûtée par le charme de l'instant présent.

Un nageur s'avançait entre deux eaux; il se retourna

brusquement car la faible profondeur indiquait déjà le rivage. Il tendit le bras, son geste heurta Carmen. Le contact subit les fit tous deux sursauter et dans un même élan ils sautèrent sur leurs pieds, s'ébrouèrent. L'homme s'excusa, elle lui sourit.

— Mais! mais... c'est vous, Carmen Laviolette!

Étonnée et silencieuse, celle-ci cherchait dans ses souvenirs; civilement elle tendit sa main tout en essayant de mettre un nom sur les traits de l'homme.

— Léonce Falardeau, un ami de votre père.
— Bien sûr! bonjour, Léonce.
— C'est ma femme qui sera heureuse de vous savoir ici, elle s'ennuie à en mourir! Venez.

Rompu, le charme! La réalité, une fois de plus, s'accrochait au quotidien. Elle menaçait d'être détestable: Carmen n'avait pas, oh! mais pas du tout, le cœur aux mondanités.

L'homme l'entraîna sur ce coin de la plage où Corine, enduite de la plus prometteuse des huiles, laissait caresser la presque totalité de son anatomie par les généreux rayons du soleil.

— Vois, chérie, cette sirène que l'onde m'a fait découvrir.

Corine ouvrit les yeux. Elle tendit une main graisseuse tout en s'exclamant:

— Ma chère Carmen, c'est vous, que vous êtes belle ainsi, brune comme un pain d'épices!
Le compliment, mal tourné, amena un sourire sur

les lèvres de la jeune fille. Léonce renchérit nerveusement, avec un rire niais:

— Inutile de vous dire, Carmen, que ma femme ne quittera pas ce carré de sable avant d'être aussi dorée qu'un Saint-Hubert barbecue.

On prit rendez-vous; il fallait fêter cette rencontre, on dînerait tous ensemble. Peut-être Carmen accepterait d'assister à un spectacle, ce soir, avec la chère dame... car Léonce voulait aller tenter sa chance au casino de la Concha...

Léonce était volubile, tel un garçonnet qui cherche à caser sa mère pour avoir la voie libre.

Carmen comprenait enfin. On habitait cet hôtel-ci, mais Monsieur passait ses nuits attablé dans les casinos des alentours, car tout ce qui avait trait au gambling répugnait à Madame. Il lui sacrifiait bien une soirée ici et là, pendant la durée de leurs vacances, mais la majeure partie de son temps s'écoulait aux tapis verts. Ce supplice se répétait d'année en année. Aussi la présence de Carmen, la fille d'un ami lointain, s'avérait une merveilleuse complicité du destin; enfin, Corine serait en bonne compagnie!

Pauvre Léonce, il déchanta lorsque Carmen put enfin placer un mot. Elle lui avoua regretter de le décevoir car elle quitterait l'île en fin de soirée. Il restait toujours ce dîner projeté...

Un dîner, désastreux pour Corine, qui eut à écouter pour la enième fois les discours engagés de son mari. Le joueur invétéré ne manquait pas une occasion d'excuser sa passion, de l'expliquer, de la justifier. Discours intéressant pour Carmen à qui Léonce tentait de décortiquer le rouage du jeu, l'histoire troublée et troublante des premiers casinos, ceux d'hier, ceux d'aujourd'hui avec, dans le regard, une pointe de jubilation à l'évocation du futur casino de Montréal.

Léonce, bon narrateur, ponctuait, dates à l'appui, des anecdotes colorées qui concernaient les grands de ce monde, des têtes couronnées qui avaient, dans les casinos, traîné leurs pieds chaussés de souliers de satin: des dirigeants de la cour britannique, les princes de Saint-Pétersbourg, le prince de Galles, futur Édouard VII, dissimulé sous le pseudonyme d'un capitaine, la baronne de Rothschild; Alfred de Musset, Wagner, Beethoven, Bizet, qui y trouvaient le souffle de l'inspiration.

Léonce ne tarissait plus, il avait trouvé en Carmen une oreille attentive, ce qui le charmait. Il évoqua les débuts difficiles, voire même menaçants du casino de Monte-Carlo, plus d'une fois au bord de l'abîme à cause des gains exorbitants de puissants et riches parieurs, mais qui, finalement, sauverait la principauté monégasque et le prince héritier de la faillite.

Il parla de la naissance, de la mort et de la résurrection des casinos d'Atlantique City; de celui de Cuba, qui, sous Batista, menaça les plantations de cannes à sucre et de tabac, vu l'abondance des billets américains qui venaient se confondre avec le vert des tapis.

«Tous les continents sauf l'Australie, assurait-il, ont leurs enceintes du jeu, à l'Est comme à l'Ouest, sans oublier les îles du Sud.» Il appuyait ses dires d'anecdotes savoureuses. «Les casinos sont un symbole de la puissance démocratique... la nouvelle Russie aurait bientôt le sien!» Il évoqua celui du Liban, maintenant détruit par la guerre, mais qui avait su absorber les dépenses du pays tout entier. Les Libanais ne payaient pas d'impôts, ne souffraient d'aucune forme de taxation, tant il était rentable!

Léonce étalait ses connaissances sur le sujet avec autant de facilité et de ferveur qu'un bon chrétien qui récite son credo.

Carmen sentait pointer la nervosité de Corine, qui s'impatientait devant l'exposé qui s'éternisait.

Léonce, subitement, ramena à lui tant de prestigieuses gloires, tel l'endimanché qui, sur le perron de l'église, salue familièrement son pasteur, monsieur le maire, les marguilliers. Il exprima sa joie... et sa fierté de faire partie de cet univers dans lequel semblent se figer les bonnes manières et sait lui donner, à lui, Léonce, un sentiment d'appartenance à de si hautes sphères: «L'art de plaire inspire un protocole particulier... être en ces murs honore et flatte, rehausse l'estime de soi. À défaut de têtes couronnées, en notre siècle industrialisé, on croise des magnats, ces bien-cotés du commerce, de la finance, des touristes de luxe, des artistes, des maîtres. Vous savez, Carmen, le jeu n'est pas un mal, il stimule, élargit l'esprit créateur, ouvre des horizons.»

Jusque-là muette, Corine trancha méchamment: «Mais voilà, le joueur ne sait pas s'arrêter; le jeu est un luxe, un luxe qui se paie. Le vrai mal, c'est la perte que le ponte subit! La perte rive sa victime qui rêve de la vaincre; le besoin impulsif de la mater, à mesure qu'il grandit avec les sommes englouties, ajoute à la légende, fait volupté, pousse la passion jusqu'à l'apothéose. On veut récupérer et on s'enlise, espérant dans les frissons et le désespoir trouver une martingale infaillible, comme l'alcoolique qui crèvera, le verre à la main!»

Dès que Corine prit la parole, Carmen vit le visage de son mari s'empourprer. L'atmosphère était tendue, le charme rompu. Les desserts restaient dans l'assiette, oubliés. Chacun cherchait sans doute comment mettre fin à cette tirade cruelle.

«Plus d'une fois, le jeu dut séparer des couples très unis», songea Carmen, ce qui ramena l'image de Joël à son esprit, lui donnant du coup le désir de s'éloigner.

— Je devrai bientôt vous quitter, j'ai ici une amie très chère que je dois rencontrer avant mon départ.

Corine sut retrouver son sourire, Léonce, humilié, marmonna quelques mots polis.

Carmen se rendit à sa chambre, songeuse.

Plus que quelques heures et ce serait le départ vers l'aérogare. Carmen composa le numéro de téléphone de madame Minerve qu'elle avait laissé bien en vue pour ne pas oublier de faire l'appel.

Là-haut, madame Minerve assise dans son fauteuil avait les yeux fixés sur l'appareil qu'elle écoutait sonner. Entre ses doigts, elle roulait et déroulait un mouchoir de dentelle imbibé de larmes. Chaque sonnerie lui faisait chaud au cœur. Ce ne peut être que Carmen; ici elle n'a plus d'amis.

«Ma petite, murmura-t-elle, ma chère petite, puissiez-vous trouver le bonheur qui, hélas! n'est pas toujours distribué au mérite!»

Le reproche qu'elle venait de faire à la vie accentuait sa peine. Son cœur était lourd, trop lourd. L'appareil s'était tu; elle appuya sa tête, ferma les yeux. Elle ne s'était pas faite belle, elle était drapée dans son peignoir qui ne réussissait pas à réchauffer ses vieux os qui lui faisaient mal. Lentement, elle glissa dans un demi-sommeil et rêva une fois de plus à ce grand espace vert où Octave l'attendait. À travers les herbes folles où elle butait s'éleva un vent terrifiant. Elle se réveilla, c'était la sonnerie qui retentissait de plus belle.

Elle ferma les yeux où jaillissaient des larmes douces. «Ma chère petite fille!»

On frappa à sa porte. Elle sursauta. Carmen ne pouvait se trouver là et au bout du fil à la fois! Elle se leva péniblement, se dirigea vers la porte demandant de sa voix enrouée:

– Qui est là?
– C'est le chasseur, madame.

Madame Minerve ouvrit. Des roses, des roses blanches. Son cœur se serra, elle les pressa contre sa poitrine, le regard obstrué par sa peine mêlée de joie.

«Voilà, Octave, n'avais-je pas raison de l'aimer, cette fille? Je te les offre, ces roses blanches, ce sont les plus belles car elles nous sont offertes par un cœur généreux.»

***

Ces roses, madame Minerve les verrait se flétrir, lentement elles perdraient leur grâce, mais, dans son cœur, elles vivraient toujours. Avant qu'elles ne meurent sous l'exubérance de la sève, elles répandraient dans la pièce un parfum épicé; madame Minerve avait souvent constaté ce dernier élan de la fleur qui va se flétrir; avec un geste amoureux et délicat, elle les retira du vase, les noua avec un ruban et les suspendit la tête en bas. Les pétales se terniraient, la couleur s'altérerait, peu à peu ces fleurs se dessécheraient, se métamorphoseraient, perdraient leur beauté première, mais, par leur seule présence, leur symbole et le geste affectueux de la main qui les avait offertes, seraient perpétués.

Un matin, avec tendresse, la dame âgée déposa la gerbe sur la table devant la photo d'Octave. «Voilà, lui dit-elle, cher époux, je dois admettre que physiquement ces fleurs me ressemblent de plus en plus... nous avons perdu toute grâce mais gardé notre cœur chaud: nous t'aimons, Octave.» Un sentiment nouveau était né dans l'âme de la dame: la quiétude. Malgré sa solitude, elle ressentait un grand bonheur. On ne la voyait plus au casino; par contre, elle errait souvent dans les jardins, d'un pas traînard, qui est celui de son âge. Son visage serein dénotait sa joie intérieure.

Le geste gratuit qu'avait posé Lecourt en lui remettant les perles qu'il avait achetées à prix d'or l'avait réconciliée avec la vie et les êtres. Celui malheureux qu'elle avait fait en les lui vendant lui avait apporté de si grands remords! Pourtant, avec le déroulement des événements, il lui fut prouvé que son acte avait, de fait, allumé et gardé vivante une autre flamme amoureuse: celle que cet homme entretenait pour sa femme Belle.

«Ces perles sont un gage de bonheur et d'amour. Je dois me porter garante de leur mission future.» Cette pensée lui apportait un grand réconfort moral, lui donnait beaucoup de joie. Elle prendrait des dispositions toutes spéciales les concernant, elle le ferait en mémoire de son cher Octave.

Madame Minerve demeurait des heures assise à ruminer son passé, à écrire ses mémoires, s'attardant parfois à un détail qui l'émouvait plus particulièrement. Les jours passaient, le passé illuminait le présent de la femme.

Après avoir mille fois pensé et repensé le contenu de l'ébauche d'un testament qu'elle s'apprêtait à rédiger, elle prit les dispositions nécessaires pour légaliser l'acte. Cette décision lui valut une paix intérieure qui ne cessait de la surprendre. Enfin! elle goûtait le bonheur.

Dans les semaines qui suivirent, madame Minerve prit un plaisir fou à élaborer tout un stratagème qui entourerait l'exécution de ses dernières volontés. Elle établit un contact constant et direct avec un ami de longue date qui, depuis toujours, lui servait de conseiller dans l'administration de ses biens, là-bas, à Montréal. Elle lui confia la bonne marche de ce projet fou qu'elle avait en tête.

Voilà que les événements prenaient de plus en plus la forme d'un conte de fées. À mesure que les pièces se déplaçaient sur l'échiquier, le bonheur de madame Minerve allait croissant. Ses jours prenaient une tournure ensoleillée et si merveilleuse qu'elle ne cessait de s'exclamer: «L'imagination la plus fertile n'aurait pu imaginer telle allégresse tout ça tient du féerique!»

Chapitre 14

Carmen fit une dernière vérification des lieux, elle n'avait rien oublié. Sur un fauteuil, elle avait déposé son sac, un imper, sa mallette de cosmétiques. Elle jeta un coup d'œil aux documents qu'elle devrait avoir à la portée de la main lors du voyage de retour. Elle consulta sa montre. Il était encore trop tôt pour le départ; elle composa à nouveau le numéro de téléphone de madame Minerve, mais n'obtint pas de réponse.

Assise au balcon, profitant des dernières heures de soleil, Carmen se repaissait de la beauté du paysage. Des éclats de voix lui parvinrent par bouffées que transportait un vent léger. En bas, on s'amusait. La plage semblait avoir été prise d'assaut par les vacanciers qui s'en donnaient à cœur joie.

«Chez nous, c'est le printemps»; cette pensée réjouissait la jeune fille qui avait toujours aimé cette saison plus que toute autre, à cause, peut-être, de l'éclosion de vie qui l'accompagnait. Elle laissa son regard se perdre dans l'immensité de la mer calme qui ne manquait jamais de se faire apaisante; son mouvement doux et régulier temporise les esprits tourmentés, invite à la stabilité et au calme; la mer a l'effet d'un catalyseur bienfaisant.

«C'est vous que je fuis», avait écrit Joël, elle lui était maintenant reconnaissante d'avoir posé ce geste sensé. Leur profonde amitié avait ainsi été protégée et il restait, enfouis en leurs cœurs, des souvenirs doux et merveilleux.

Cette franche camaraderie permit à Carmen de faire le point avec elle-même. La présence de Joël à ses côtés, en plus d'agrémenter ses jours, lui avait fait comprendre, à travers la conversation qu'elle avait eue avec madame Minerve, que l'ennui pur et simple était la cause première de ses perturbations morales: l'attrait irrésistible qu'elle croyait avoir pour les jeux de hasard, ce qui l'avait tant inquiétée, avait fondu comme par enchantement quand elle comprit qu'il n'était en fait qu'un palliatif à sa solitude.

Sans doute madame Minerve l'avait-elle deviné et c'est pourquoi elle devint narquoise quand le sujet fut abordé; Joël avait eu cette même réaction, elle était donc la seule à n'avoir pas su le discerner.

Quel grand pas de fait! Ses inquiétudes morbides étaient en réalité le fruit de son imagination perturbée. «Trêve de plaisanteries, soupira Carmen. J'ai vraiment été stupide!»

Oui, elle donnerait un sens à sa vie; les enfantillages avaient assez duré. Il était encore trop tôt pour pouvoir le reconnaître, mais le combat qu'elle avait mené contre elle-même aurait sur sa vie un effet bienfaisant; en d'autres termes, le but visé par Carmen au moment de quitter le Canada était non seulement atteint mais de beaucoup dépassé.

Le chasseur était à sa porte; Carmen jeta un coup d'œil circulaire à la pièce et s'éloigna d'un pas ferme. Quiète, Carmen regardait défiler le paysage aux images exotiques; c'était le retour vers la vie de tous les jours, vers le quotidien.

De là-haut, Carmen verrait disparaître l'île qui,

s'amenuisant très vite, deviendrait un point perdu dans l'immensité émeraude; elle aura laissé là-bas un peu d'elle-même.

«Les lilas seront-ils en fleur?» pensa-t-elle. Le taxi empruntait l'allée qui menait à son foyer, tout était illuminé, comme pour un jour de fête.

L'arrivante se félicita d'avoir prévenu Hortense de son retour. Des fleurs fraîchement coupées, provenant de la serre, avaient été déposées sur les guéridons et embaumaient l'air; le couvert était dressé dans la salle à manger et sur le réchaud, d'une cocotte s'échappait un fumet invitant.

Hortense avait entendu la voiture; elle se précipita vers le quartier des maîtres et s'exclama:

— Vous êtes là, saine et sauve, Dieu merci!

C'était toujours en ces mots que la vieille domestique accueillait Carmen à chacune de ses arrivées depuis l'accident fatal qui avait fauché la vie de ses maîtres.

— Et vous êtes radieuse! Le voyage fut bon, mademoiselle Carmen? Cette maison est bien grande quand vous n'êtes pas là!

Hortense, toute à sa joie, ne tarissait plus; tant de spontanéité émouvait Carmen.

La délicatesse d'Hortense se manifestait même dans sa chambre à coucher; là-haut, le lit était ouvert, prêt à l'accueillir et, sur sa commode, une jardinière fleurie chantait le printemps.

***

Au moment de déballer la valise, la vue de la robe bleu nuit lui rappela certains souvenirs; Carmen caressa un instant la soie, mais sans tristesse, et elle classa le vêtement parmi les autres.

Un instant, elle tint dans sa main le paquet de cartes qu'elle utilisait là-bas pour faire son jeu de réussite; elle hocha la tête, sourit et le jeta dans le panier d'osier qui lui servait de corbeille à papiers. Quelques instants plus tard, un jeton qui avait perdu tout attrait subirait le même sort...

Le lendemain, au déjeuner, comme une promesse de bonheur, Carmen vit sur la table une grappe de lilas blancs.

Hortense, qu'elle remerciait avec émotion, lui souligna que les fleurs de cette gerbe étaient les premières de cette saison à éclore. «Arthur m'avait prédit que vous seriez de retour au temps des lilas, alors je gardais un œil sur les bosquets.»

***

Et Carmen se mit à la tâche; elle élabora un plan d'action afin de reprendre sa place sur le marché du travail. Elle poserait sa candidature, procéderait par soumissions, ce qui lui permettrait d'opérer sur plusieurs fronts à la fois. Elle consulta son agenda, tenta de renouer avec ses relations passées, feuilleta les périodiques spécialisés. Elle avait retrouvé son entrain des beaux jours et ses pensées étaient rivées sur l'avenir.

Quelques semaines passèrent et, enfin, ses efforts

furent couronnés. Elle obtint deux contrats, un premier pour décorer la nouvelle succursale d'une banque qui ouvrirait bientôt ses portes. L'autre avait plus d'envergure. Elle devrait consacrer beaucoup de temps et d'énergie à agencer l'intérieur de plusieurs bureaux déjà existants mais auxquels on voulait donner un visage nouveau. Ils étaient situés dans un gros édifice du centre-ville. L'importante firme Transport Maritime Girouard avait signé un bail emphytéotique qui lui conférait le droit de faire les transformations voulues.

Devant l'ampleur de la tâche, Carmen avait cru bon de s'adresser à l'école de décoration où elle avait étudié et s'était assurée de l'assistance d'un étudiant qui la seconderait dans l'accomplissement de son travail.

Le temps était maussade, chaud, humide. Carmen tenait sous son bras deux longs rouleaux de papier; c'étaient les plans rédigés en vue de l'exécution du projet sur lequel elle se penchait.

Il était neuf heures du matin, il y avait foule, ses documents l'embarrassaient, elle se faufila, emprunta une porte latérale et s'empêtra; voilà qu'un des rouleaux était resté coincé dans le chambranle de la porte. Elle s'arrêta, tenta de le libérer; une jeune fille vola à son secours; elle se retourna pour la remercier et c'est à cet instant précis qu'elle entrevit Joël qui se perdait déjà dans la foule. Lorsqu'elle atteignit les ascenseurs, elle jeta un regard circulaire, mais dans ces larges cages pouvaient s'engloutir un grand nombre de personnes; Joël n'était plus en vue.

Jean-Luc prit la liasse tout en accueillant Carmen.

— Vous semblez troublée, Carmen.

— Ça se voit? dit-elle dans un sourire.

Mais la jeune femme ne s'attarda pas à sa rêverie. Il lui fallait faire la compilation des matériaux nécessaires pour exécuter le travail. Elle avait tenté, hier soir, de jeter les grandes lignes de ce projet mais avait rencontré un obstacle. Ce matin, elle devrait vérifier les spécifications fournies avec l'état réel des lieux.

— Quelque chose ne concorde pas, mais où est l'erreur? Il me semble que ce soit au niveau des dimensions, explique Carmen.

Le contremaître se pencha sur les devis. On vérifia, on compara.

— Selon mes calculs, il serait impossible d'encastrer les panneaux.
— C'est un problème d'ordre technique qu'il faut régler avant d'aller plus loin. Heureusement que vous avez découvert l'erreur avant même le début des travaux, car les difficultés n'auraient cessé de croître avec le temps.

Il s'avéra, en effet, que les dimensions figurant sur les plans n'étaient pas conformes à celles des murs existants.

— Nous allons devoir suspendre temporairement ce projet, histoire de faire réviser les calculs par les responsables de cette mise en plan. Je vais prendre rendez-vous avec eux, ce qui simplifiera les choses, j'aimerais que vous soyez présente à la réunion.

Carmen se pencha à nouveau sur les devis, elle révisa en détail la description des pièces et des matériaux nécessaires et refit tous les calculs en tenant compte de ses propres données; ainsi elle serait prête à toute éventualité.

La rencontre eut lieu, les problèmes solutionnés et les travaux allèrent bon train. Michel Marchand, le jeune architecte qui vint s'attabler avec Carmen et le responsable de T.M.G., s'avéra très attentif aux problèmes que l'erreur avait fait naître.

Carmen exultait, c'était une réussite, elle ressentait beaucoup de fierté à la suite de son accomplissement.

Dans un mois, une grande soirée serait donnée lors de l'inauguration des lieux; bien sûr, elle reçut une invitation qui la conviait à la réception.

Ce serait sa première sortie mondaine depuis qu'elle avait quitté San Juan. Elle attendait ce jour avec une joie anticipée.

Carmen se serait-elle attardée à vérifier le sceau de la compagnie qui avait préparé les plans et devis sur lesquels elle avait travaillé qu'elle aurait tout de suite compris que Joël y était indirectement impliqué.

***

Tôt le matin, Joël était entré au bureau bien avant l'arrivée des employés; il avait pris avec lui les journaux du jour. Il s'attarda à *La Tribune*, puis ouvrit *La Presse* à la page des affaires, s'arrêta au jeu du marché boursier, sa façon de se tenir à la fine pointe de l'information. Pour ce qui était du reste, il feuilletait distraitement; la page des décès était là devant lui, amenant un souvenir amer sur son visage. Il n'y avait pas si longtemps, il figurait ici, photo, âge, et un résumé de sa carrière! Il crayonna distraitement, sa pensée était ailleurs.

Tout à coup, il s'arrêta; là, c'était une tête connue, il n'y avait pas à s'y méprendre. Il lut; il s'agissait bien de madame Minerve, de Notre-Dame-de-Grâce, décédée à San Juan, Porto-Rico...

En une fraction de seconde, comme le fait le liseron pour s'épanouir à la lumière du matin, avec autant de grâce et de beauté que la belle-de-jour, le visage de Carmen se substitua à celui de la vénérable dame. Joël ferma les yeux pour retenir l'image que son esprit avait recréée.

Pendant quelques instants, il laissa ses souvenirs le subjuguer; le regard de feu de Carmen, sa taille majestueuse, son rire presque silencieux: toute la grâce de la jeune femme défila un instant pour aussitôt sombrer à nouveau dans le monde de l'irréel, du rêve, de l'impossible.

Joël ramena ses pensées à ce monde pratique, se replongea dans le travail acharné afin d'oublier la période de sa vie qui lui avait causé tant de tourments, lui avait fait perdre sa foi et sa confiance aveugle. Non, Joël ne rêvait plus.

***

Michel Marchand était au volant de la voiture et s'entretenait avec Joël dont il était devenu l'associé après le départ de Maurice.

Ils faisaient route vers Montréal où ils assisteraient à l'inauguration des bureaux de la compagnie Transport Maritime Girouard.

– Elles se ressemblent toutes, ces réceptions de bureaux: un bon vin, parfois du champagne, des bouchées chaudes, élégamment servies, les éternels bâtonnets de céleri et les olives.

– Ne pas négliger de mentionner les bouquets de persil décoratifs, d'ajouter Michel en riant, j'ai un ami qui en raffole et personne ne les lui dispute.

– Cependant, c'est l'occasion rêvée pour établir des liens, faire des rencontres agréables tout en se délassant.

On en vint à parler du travail fait pour leur hôte de ce soir. Maurice avait obtenu le contrat en l'absence de Joël; celui-ci n'avait aucune idée de sa teneur jusqu'au jour où les difficultés rencontrées par Carmen furent portées à son attention par le truchement du client T.M.G.; c'est à Marchand qu'échut la tâche de régler les problèmes d'ordre technique.

– Cette jeune femme est d'une ténacité et d'une minutie incroyables, elle ne laisse rien au hasard.

– Ce qui est heureux, elle nous a épargné, à tous, des tracasseries inutiles.

Jetant un coup d'œil à son jeune associé, Joël ajouta sur un ton narquois:

– Oh! Sans doute est-on attendu là-bas? N'est-ce pas, Michel?

Celui-ci se contenta de répondre: «Ma carrière d'abord!»

Pendant ce temps, Carmen promenait son regard sur les lieux; selon la coutume, de jolies plantes vertes avaient été offertes pour complimenter les nouveaux arrivants, ce qui ajoutait au décor. Le coup d'œil de l'ensemble était d'une harmonie parfaite, de bon ton. L'aménagement des lieux était achevé; le mobilier en place, on était en mesure de jauger le résultat dans son ensemble.

Carmen retoucha son maquillage, brossa ses cheveux; son visage reflétait une grande satisfaction intérieure, elle était fière, très fière de sa réalisation. Jean-Luc s'enorgueillissait aussi; pour cet étudiant ce projet incarnait les rêves futurs, l'expérience acquise lui serait précieuse.

Les invités étaient là, circulaient, un verre à la main. Michel Marchand repéra Carmen, il vint vers elle, prit une coupe sur un plateau et la lui offrit.

— Bravo, c'est une réussite. Les couleurs sont chaudes, seyantes, les contrastes discrets.

Les yeux de Carmen pétillèrent de joie, elle accepta le compliment avec grâce.

Marchand discourait toujours mais Carmen n'entendait plus. Elle venait d'apercevoir Joël qui était en grande conversation avec le président de T.M.G., Gilles Girouard. Elle fit quelques pas de côté pour mettre un obstacle entre eux; ses jambes la portaient à peine, son cœur battait à un rythme fou.

Marchand se rendait compte que quelque chose d'embarrassant venait de se produire. Il se retourna et tenta de savoir le pourquoi d'une telle réaction. Rien ne lui semblait anormal. Carmen s'excusa, bafoua quelque chose d'inaudible, se faufila à travers les convives et s'éloigna sans plus d'explications. Marchand était vivement déçu, il passerait le reste de la soirée à fouiller l'assistance des yeux dans l'espoir de voir réapparaître la jeune femme, mais en vain.

Carmen s'était rendue au vestiaire, elle avait croisé Jean-Luc qui ne fut pas sans remarquer le bouleversement qui se lisait sur son visage. Encore là, elle marmonna quelque chose d'inintelligible et s'éloigna d'un pas précipité. L'homme haussa les épaules; il ne comprenait pas; elle, habituellement si affable!

Carmen n'eut de répit que lorsqu'elle se retrouva dans l'ascenseur et que la porte, en glissant, eut mis un mur entre elle et Joël. Elle s'appuya contre la paroi; son cœur battait, ses tempes faisaient mal; elle ferma les yeux. La cage s'était arrêtée, la porte s'était ouverte et refermée. Il fallut quelques minutes avant que Carmen ne sortît de sa torpeur et ne se ressaisît. Elle regagna sa voiture garée dans le stationnement; elle appuya sa tête contre ses bras croisés sur le volant.

— Qu'est-ce qui m'arrive? C'est idiot! Quel manque de civisme! Marchand et Jean-Luc doivent me trouver bien idiote!

Joël! Il était là, en chair et en os. Ainsi pas de doute possible, c'était bien lui qu'elle avait vu ce matin-là. «Un ami de monsieur Girouard, sans doute.»

Carmen rentra chez elle, le cœur chaviré. Elle se reprochait de n'avoir pas eu la politesse d'aller le saluer, de s'enquérir de sa santé. Les souvenirs affluaient dans sa pensée, tous plus doux les uns que les autres. «Je ne serai jamais qu'une sauvageonne!»

***

Sur le chemin du retour, Joël remarqua que son associé avait moins de verve. Il hasarda une question.

— Et cette jeune femme tenace? On ne m'a pas présenté...

— Bizarre.

— Qu'est-ce qui est bizarre?

— Je ne saurais dire. Elle était là, heureuse, consciente et fière de sa réussite, puis tout à coup, son visage s'est assombri, elle est devenue distraite, évasive, comme effrayée et elle a filé à l'anglaise, comme si elle avait vu le diable. Pourtant! je n'aurais jamais cru que Carmen Laviolette pouvait être aussi impressionnable!

— Qui, as-tu dit?

— Carmen Laviolette, c'est le nom de la dessinatrice; son père, Pierre...

Joël agrippa le volant à deux mains; Carmen Laviolette, cette fille aux yeux de feu; tenace, oui, il le savait qu'elle était tenace. Ainsi c'était d'elle dont Marchand parlait, elle qui avait découvert l'erreur de Maurice, elle qui avait décoré ces bureaux avec tant de brio, oui, c'était elle qui avait créé une si forte impression sur son associé. Oui, il le savait, Carmen ne passait pas inaperçue, Carmen n'était pas de celles que l'on oublie. Girouard lui-même ne tarissait pas d'éloges à son endroit.

L'heure était tardive; Marchand ne pouvait voir le visage de Joël, mais il avait depuis quelques instants la quasi-certitude que la présence de Boissonneau était la cause directe du bouleversement de Carmen, mais pourquoi? Cette histoire le chiffonnait, il voulait savoir. Alors il demanda:

Tu la connais, Joël?

— Oui, répondit Joël d'une voix chevrotante, son père fut mon professeur, un très grand architecte, ce Pierre Laviolette.

«Il ne m'a pas entendu quand je lui ai mentionné ce détail, il y a un instant!» pensa Michel.

Le reste de la randonnée fut plutôt silencieux; Joël, décidément, était distrait.

Et il le demeura pendant plusieurs jours. Pas un instant, il ne se douta que sa présence chez T.M.G. avait été la cause du départ précipité de Carmen.

«J'attendrai que cette histoire de divorce soit classée, ne cessait-il de se répéter. Et si j'allais la perdre? Ainsi, Marchand, l'autre soir...» Cette idée le tracassait, il ne voulait pas s'y arrêter. Il ne voulait plus de situation équivoque dans sa vie. Il irait vers Carmen quand tout serait rentré dans l'ordre.

Les idées les plus saugrenues lui traversaient parfois l'esprit: «Et si je lui faisais parvenir un boni pour nous avoir sorti une épine du pied en découvrant à temps cette erreur de Maurice?» L'absurdité de sa pensée le fit éclater de rire. «Carmen, dans sa grande logique, ne tarderait pas à découvrir mon stratagème; qu'est-ce qui m'arrive? J'ai besoin d'une permission, d'une excuse, comme un petit garçon?»

Par ricochet, il pensait à sa femme Pauline: un bonheur dont il n'avait jamais douté, sur lequel il ne s'était jamais questionné, un bonheur qu'il n'aurait jamais sacrifié à un caprice personnel, même passager. N'aurait-elle pas entamé les procédures de divorce que Joël croirait encore qu'il passerait l'éponge et demeurait auprès de sa femme, la mère de ses enfants. Tant de choses les liaient l'un à l'autre, tant de luttes surmontées, de décisions prises, d'espoirs envisagés, tant années qui ont vu leur cheminement et leurs réalisations! Peut-on tout balayer du revers de la main?

Oui, Diane avait eu raison de lui faire promettre de ne pas prendre de décision à la légère.

Quel âge pouvait avoir Carmen? Vingt-trois, vingt-quatre ans? Elle était pleine d'ardeur, d'enthousiasme, ah! cette fougue de la jeunesse. Elle avait une attitude à la fois lascive et pudibonde, enfantine et mûre, c'était une ensorceleuse qui s'ignorait, qui se faisait inaccessible, et elle était belle! Dieu qu'elle était belle! Marchand pouvait bien avoir été envoûté: décidément ses associés lui donnaient du fil à retordre sur le plan de ses amours! Mais il ne l'avait pas conquise... elle avait filé, ou s'était-elle défilée?

Il la voyait encore, descendant avec grâce le grand escalier, l'allure altière; à peine appuyée sur la main courante, elle était presque aérienne, elle venait vers lui avec autant de retenue que d'élan... Elle lui rappellait un papillon que l'on voudrait posséder mais qu'on n'ose s'approprier tant il est gracieux et beau... un papillon que l'on épargne pour faire durer le plaisir, pour prolonger le ravissement de sa présence, pour se laisser envoûter par son charme; oui, Carmen, c'était tout ça!

L'homme d'âge mûr, que la vie et les principes de loyauté ont discipliné, sentit se réveiller en lui une passion, une fougue dont il eut peur, devant laquelle il se sentit maladroit, un peu effrayé, mais qui aussi, flattait son ego de mâle...

Chapitre 15

Joël trouva sur son pupitre une lettre qui portait la mention «personnel et confidentiel». Il s'attarda à l'enveloppe, de type administratif l'adresse était dactylographiée, l'oblitération postale indiquait qu'elle avait été expédiée de Montréal. Il l'ouvrit, prit connaissance de la requête du signataire qui lui fixait un rendez-vous à une date et à une heure bien précises et lui projetait un travail dont le coût serait défrayé par une fiducie. Il s'agissait d'une résidence huppée qui tombait sous le coup d'une succession à régler.

Curieusement le papier à correspondance ne portait pas d'en-tête, la lettre était signée de la main d'un notaire, mais rien n'indiquait où et comment le rejoindre. Erreur de la secrétaire? L'enveloppe ne portait pas non plus d'indications précises. S'agirait-il d'une façon habile et détournée de faire une certaine publicité?

Le sérieux du texte et l'exactitude des termes juridiques employés étaient cependant de nature à rassurer Joël. «Mais pourquoi s'adresse-t-on à moi personnellement?» ne pouvait-il s'empêcher de penser; tout cela le laissait perplexe. Il nota sur son agenda la date, l'heure et le lieu du rendez-vous, il y repenserait.

***

À Outremont, Carmen s'efforçait de chasser Joël de ses rêveries. Le fait de l'avoir revu, l'idée que de nouveau leurs routes s'étaient croisées éveillaient en elle des rêves auxquels elle s'était refusée à s'attarder; elle devait l'admettre, Joël l'avait vraiment ensorcelée.

Savait-il qu'elle avait obtenu ce contrat? Son nom lui avait-il été mentionné par Marchand? Avait-il participé au choix des concurrents qui avaient posé leur candidature pour obtenir ce travail? Joël était-il derrière tout ça? Si oui, elle perdait tout son mérite, son orgueil en prendrait un dur coup. Elle s'était tant glorifiée d'avoir pu décrocher cet emploi grâce à son initiative personnelle, à ses qualifications plutôt qu'à une influence extérieure!

Si, de fait, Joël avait trempé dans tout ça, il devait la trouver bien ingrate d'avoir fui sans le remercier. Pire encore, elle aurait normalement dû vérifier le sceau de l'architecte qui avait préparé les devis: «J'ai manqué au code de déontologie, ça ne fait pas très professionnel», gémissait-elle.

Et ça, Joël était en position de le savoir! Son seul réconfort provenait du peu d'importance du rôle qu'avait été le sien dans toute cette affaire; en somme sa quote-part du travail était bien minime et avait sûrement dû passer inaperçue. À condition, bien sûr, que ni Girouard ni Marchand n'ait mentionné son nom.

Les jours passaient; peu à peu son drame personnel s'émoussait, perdait de sa gravité, seule faisait surface la tête de l'homme avec tout son charme attirant.

Le destin n'avait pas dit son dernier mot.

***

Carmen signa le récépissé, tourna et retourna dans

ses mains le pli qui lui était adressé. Une inquiétude l'envahit. «Voilà qui fait très officiel», pensa la jeune fille.

Elle ouvrit et lut: on lui faisait part du décès de madame Octave Minerve survenu là-bas à Porto-Rico. Cette mort datait déjà de quelques semaines. Le document stipulait aussi que Carmen était la légataire universelle désignée de tous ses biens.

On lui fixait un rendez-vous, elle devrait se rendre à Notre-Dame-de-Grâce où on lui ferait part des désirs de la disparue...

Au comble de l'émotion, Carmen se replongea une fois de plus dans ce passé, pourtant récent, qui ne cessait de refaire surface. «Le destin semble m'avoir placée sous sa houlette», pensa Carmen, bouleversée.

Le jour venu, elle se dirigea vers l'adresse indiquée. Sa surprise ne cessait de grandir; il n'y avait pas à en douter, il s'agissait bien du lieu désigné; là sur un muret de pierre grise figurait le numéro civique. Elle emprunta l'allée ombragée qui menait jusqu'à la résidence énorme, toute de blocs de granit, aux colonnes imposantes qui épousaient deux étages; sur ces majestueux piliers un dôme prenait naissance et allait coiffer l'intérieur de la maison.

«Pourquoi m'avoir convoquée ici?» se demanda Carmen. L'endroit lui semblait déserté, le gazon avait poussé en broussailles, des branches mortes jonchaient le sol. «Ce devait être sa résidence qu'elle a sûrement abandonnée depuis longtemps.» Carmen jeta un coup d'œil sur l'ensemble du jardin où les oiseaux s'en donnaient à cœur joie. Des fleurs pointaient çà et là, ayant survécu à l'empiétement des mauvaises herbes.

Puis elle se dirigea vers la porte d'entrée et sonna; le carillon fit entendre son chant joyeux, mais personne ne vint ouvrir. Intriguée, elle ouvrit la porte qui n'était pas verrouillée, pénétra à l'intérieur et s'exclama d'admiration devant la beauté des lieux.

Au-dessus de sa tête, la coupole laissait pénétrer un soleil radieux; à ses pieds, le marbre blanc, à peine veiné, courait dans toutes les directions. Le silence était impressionnant. Carmen pivotait sur elle-même et son regard fut attiré par un énorme bouquet de roses blanches posé dans un vase qui portait la griffe Lalique. «Voilà la signature de madame Minerve, ces roses blanches sont le moyen qu'elle a trouvé pour me dire adieu; quelqu'un sera venu les déposer là, à son instigation, dans un but bien précis.»

Elle traversa le hall, entra plus avant; un silence intimidant évoquait le mystérieux. L'escalier suivait un mur mi-circulaire, il était de bois aux reflets doux, d'une belle teinte rosée. Du même bois précieux était faite la robe de la cheminée. «Quel étalage de grand luxe!» s'exclama tout haut Carmen. Le mobilier, haut de gamme, était l'œuvre d'architectes meubliers. Sur les boiseries de grain fin s'alignaient des peintures de maîtres; le décor était d'une somptuosité époustouflante.

Certains objets semblaient cependant manquer, certains espaces accusaient un vide; Carmen scruta de son regard émerveillé tous les coins de la pièce, n'en finissant plus de se régaler. Sa curiosité éveillée lui faisait oublier la raison de sa présence en ces lieux; elle ne s'attardait pas à la pensée qu'elle était l'héritière de tant de richesses. Elle allait d'un bibelot à un autre, déchiffrant une signature, mettant un nom d'origine sur certains objets; son âme d'artiste vibrait.

Sur ces entrefaites, une autre voiture s'avança dans l'allée qui menait à ce manoir. Joël, intrigué et sceptique, regardait ce décor et s'interrogeait. Il vit une Mercédès stationnée près de l'entrée principale. Il gara sa voiture et s'approcha de la porte de chêne lourd habilement sculptée. «Un richard en mauvaise posture», pensa l'homme. Il leva la tête, aperçut la coupole; la tentation de faire le tour de cette propriété lui vint à l'esprit. «Oh! la! la! Quelle splendeur!» jeta-t-il.

Il sonna, le dos à la porte, les yeux rivés sur les jardins avoisinants.

Carmen sursauta, étouffa un cri, se reprit, ne sut plus quel geste poser. Elle était là, debout au milieu de la pièce, indécise.

De nouveau le carillon se fit entendre. Les notes de musique se répercutaient sous le dôme, l'effet était surprenant.

Joël se pencha, regarda la voiture garée devant la sienne; c'était évident, quelqu'un devait se trouver à l'intérieur. Il sonda la poignée de la porte qui ne résista pas. Il entra d'un pas hésitant, promena les yeux tout autour. Les roses blanches, fraîchement coupées, captèrent son attention. Il n'osa bouger, attendit encore un peu, avança lentement, se dirigea vers le grand salon.

Là, debout au centre de la pièce, se tenait Carmen. Une Carmen sidérée.

— Vous! s'exclama Joël.

Il s'immobilisa, tous deux se regardaient à distance.

Carmen, la première, réagit tout à coup. Elle s'élança, se précipita dans les bras de Joël, se colla contre lui qui resserra son étreinte. Muets, dépassés par les événements, ils restaient là, enlacés, émus, troublés jusqu'au plus profond de leur être.

Là haut, dans le ciel, si madame Minerve avait droit de regard ici-bas, elle devait se réjouir de voir enfin réunis sous son toit ces deux êtres qui s'aimaient éperdument.

«Tu vois! Tu vois!» devait-elle répéter à Octave.

La première effusion passée, Joël repoussa gentiment Carmen, pour la retenir au bout de ses bras tendus.

— Qu'est-ce que c'est, toute cette mise en scène?
— Un coup monté par madame Minerve, c'est à n'en pas douter.
— C'est impossible! Elle est décédée.
— Comment le savez-vous?
— J'ai vu sa photo dans une chronique nécrologique d'un journal il y a déjà quelque temps.
— Personnellement je ne l'ai appris que récemment. Voyez, j'ai les documents en question ici. Mais, vous, Joël, que faites-vous dans ce décor, pourquoi vous, sous quel prétexte vous a-t-elle attiré?
— Moi, oh! moi, je ne fais que compliquer la situation. Si je vous racontais, vous seriez stupéfiée. Mais que faisons-nous là, debout? Venez.

Plus rien ne lui semblait insolite: ni les lieux, ni le décor, ni le prétexte qui l'avait mené jusqu'ici. Carmen était là, présente, il n'avait de pensée que pour elle. Le reste lui était bien secondaire; il avait retrouvé Carmen, un rêve inavoué prenait forme.

Joël passa son bras autour de la taille de Carmen qui, déjà, s'était ressaisie. Joël le comprit à son attitude. Non, Carmen n'avait pas changé d'un iota, elle était toujours cette fille réservée et franche qu'il avait connue. Cette fois, il n'allait pas laisser filer le bonheur, il voulait clarifier la situation.

Un instant, il chercha ses mots, ne voulait pas être brutal, mais sa nature droite n'aimait pas les détours. Aussi jeta-t-il simplement:

– Je suis un homme libre, Carmen.

Carmen ouvrit de grands yeux, son cœur palpitait.

– Vous vous souvenez de cette nuit tragique où je vous ai confié que j'aurais pu être celui qui gisait là? Eh bien c'en était déjà fait de moi. Vous avez devant vous un homme soi-disant mort, mort et enterré.
– Grand Dieu! quelle plaisanterie macabre!
– Que non, je vous l'assure, je ne badine pas. L'endroit et le jour ne sont peut-être pas très bien choisis pour vous tenir de tels propos mais vous devez savoir, vous avez le droit de savoir...

Carmen, tendue, était maintenant assise sur le bord du fauteuil. Elle regardait Joël d'un air à la fois surpris et crédule.

Joël raconta la mésaventure de cet inconnu qui périt à sa place, narra les grandes lignes de ses déboires.

– Mais, et..., mais...
– Dites le fond de votre pensée.
– Madame Minerve, elle ne savait rien de tout ça!

– Sans doute, c'est ce qui ajoute au mystère. Cette vieille dame n'a toujours eu qu'une seule fantaisie en tête: l'amour.

Tous deux se taisaient et baissaient les yeux. Le mot magique venait d'être prononcé, il résonnait à leurs oreilles, s'enregistrait dans leur cerveau. Ils se regardaient, se souriaient; Joël se leva, prit Carmen dans ses bras, la souleva de terre et tourna, tourna, resserrant de plus en plus son étreinte. Carmen riait comme une gamine charmée.

Les documents étaient là, sur une table; on n'y avait pas jeté les yeux, on aurait toute la vie pour en décortiquer le contenu et tâcher de comprendre tout ce qui s'était réellement passé.

– Venez, Joël, faisons le tour du domaine, il y a de quoi s'émerveiller.

Voilà, pensa Joël, cette chère Carmen cherchait encore à s'échapper, elle se sentait troublée, mal à l'aise. Joël jouerait le jeu. Ensemble, ils arpentèrent les nombreuses pièces, s'extasiant souvent, admirant et commentant. Ils allaient, main dans la main, le cœur heureux.

– Alice au pays des merveilles n'a sûrement pas ressenti plus d'émotions, jeta Carmen.
– L'histoire dit-elle, si elle a trouvé l'amour en même temps que l'extraordinaire?
– Joël!

Carmen s'arrêta, se plaça devant Joël et chercha ses lèvres. Ce long et tendre baiser cimenterait leur amour. Troublés et silencieux ils continuèrent de visiter le domaine, l'un près de l'autre.

Tout à coup, ils se retrouvèrent devant une pièce légèrement en retrait; un paravent de nacre ciselé en masquait la porte qui était fermée. Ils se regardèrent; oseraient-ils y pénétrer? Carmen fit un geste pour indiquer à Joël qu'elle voulait voir. Alors très doucement, il tourna la poignée, le passage leur était cédé.

– C'est un véritable sanctuaire, dit Carmen à voix basse.

Le mur extérieur s'ornait d'un vitrail dont les pièces étaient insérées dans du plomb: Cupidon, guirlandes de fleurs, angelots, illustrant l'amour. Le pourtour était drapé de satin antique bleu roi, ce qui donnait à la petite pièce une allure tout à fait princière.

Juste en dessous se trouvait un récamier orné de brocard argent; là tout près, un bonheur-du-jour, un fauteuil-crapaud au velours grenat et, dans un immense panier, un nombre incroyable de fleurs séchées.

Tant de faste n'enlevait pas au petit salon son cachet d'intimité; au contraire, la splendeur du décor se mariait harmonieusement à la collection d'objets familiers qui soulignaient bien la ferveur mise à aménager cette pièce avec son cœur.

Des photos d'Octave et de son épouse étaient suspendues au mur. Elles illustraient toute la vie de ce couple depuis leur mariage.

Sans qu'on en comprît le sens, une ancienne bicyclette, digne d'un musée, était là, appuyée contre la cloison.

Comme tous les châteaux du monde, l'immense

résidence des Minerve ne vibrait de lumière qu'aux jours de réceptions, lorsque envahie de visiteurs. Autrement, la vie intime de ses propriétaires se déroulait dans quelques coins privilégiés du domaine, dont le petit salon.

L'âme délicate de Carmen s'émouvait: d'une voix très douce, elle murmura:

– Une présence émane de ces lieux, nous ne sommes pas seuls, Joël.

De là où il se trouvait, l'homme se retourna vers la jeune femme. Une bouffée d'amour l'enflamma. Troublés, ils se regardèrent. Leur désir de l'autre était évident. La femme se sentait irrésistiblement attirée. Sa soif de tendresse n'avait d'égale que son envie de se blottir entre ses bras forts et puissants.

L'homme, lui, ne voyait pas la femme, il la sentait, en mâle épris. Il lui fallait freiner son élan, retenir sa fougue. La voix troublée d'émotion avait allumé en lui un désir fou de possession immédiate et intime. Dans le regard de feu de sa compagne, il sentait la braise intérieure qui consumait cet être passionné.

Joël se raidit, Carmen frissonna.

– Êtes-vous sûr, Joël, que je ne rêve pas?

La réponse se laissa un instant attendre.

– Non, Carmen, tout ça est réel. Voyez, ici, quelque chose devrait vous le confirmer.

Émue, Carmen s'avança. Là, sur la table, se trouvait

un paquet sur lequel elle pouvait lire son nom et l'adresse de cette maison.

— Ouvrez-le, suggéra doucement Joël.

Le cœur en émoi, Carmen déballa l'objet. En tout dernier lieu, après cent pelures, surgit un coffret de velours que l'usage et les ans avaient fripé. Carmen le prit, regarda Joël, hésita et lentement souleva le couvercle. Alors lui apparut le magnifique collier de perles dont madame Minerve se parait toujours. Elle le prit dans ses mains, d'un geste presque religieux. Tout au fond, sur le satin de la boîte, une carte de toile blanche portait quelques mots griffonnés de la main de la dame: «Portez cette parure en souvenir de moi, le jour de votre union. Mes vœux de bonheur, ma chère enfant.» C'était signé madame Octave Minerve.

Ce ne serait que beaucoup plus tard que Carmen et Joël découvriraient qu'ils avaient vécu leur début de vie romanesque exactement comme la grande dame sentimentale l'avait souhaité et orchestré.

Carmen replaça les perles dans leur écrin, les yeux mouillés de larmes, puis elle se retourna vers Joël en lui disant doucement, très doucement: «Vous le voulez bien, Joël?»

Joël ferma les yeux. «Tout ceci relève du sortilège, ce n'est qu'ensorcellement, mirage: c'est ainsi depuis le soir de notre rencontre en des circonstances pathétiques, un véritable mélodrame! Nous sommes sous le charme de l'enchantement, il faut sortir de l'émerveillement, reprendre contact avec la réalité! Elle n'est qu'une enfant, à peine plus âgée que ma fille Diane, ai-je le droit de lui voler sa jeunesse?»

Carmen le regardait, le sentait bouleversé; pourquoi ce combat intérieur alors que plus tôt ils avaient simultanément laissé éclater le bonheur de s'être retrouvés réunis? Pourquoi cette réticence, cette subite réserve?

Carmen referma l'écrin; le regard noyé de larmes elle s'achemina lentement vers la sortie. Elle sentait que le beau rêve, son beau rêve s'échappait.

— Carmen...

Elle s'arrêta, attendit.

— Carmen, reprit-il, donnons-nous un peu de temps, ne nous précipitons pas. Nous sommes subjugués, envoûtés, nous...
— Nous nous aimons, trancha Carmen. Moi aussi j'ai douté, moi aussi j'ai connu les tiraillements, l'incertitude, j'ai fait taire mon cœur. Mais aujourd'hui, je sais. Nous nous aimons, Joël, indépendamment de tout, de cette mise en scène. Madame Minerve n'aurait en somme réussi qu'à nous réunir. Nous nous aimons depuis le premier instant. Souvenez-vous, ce soir-là, au *Café*.

Non, Joël n'avait rien oublié. Il regardait Carmen et répétait inlassablement son nom. Carmen, Carmen, Carmen! L'intonation de la voix douce et chaude bouleversait son âme assoiffée d'amour.

Ils oublièrent le décor, les perles, les roses, échangèrent des mots tendres; ils s'aimèrent là, dans ce petit salon qui, autrefois, avait connu un autre grand roman amoureux. Cupidon, complice de leur engagement, laissait glisser vers eux les pétales fleuris de ses guirlandes, guidait leurs ébats, enlaçait leurs cœurs.

Isolés dans cette grande maison où tout n'était que silence, surpris eux-mêmes de l'intervention magique des forces extérieures qui les avaient unis, ils goûtaient le spectacle des derniers rayons du soleil qui caressaient leur nudité en projetant sur eux des faisceaux multicolores empruntés aux vitraux.

«Je suis heureuse, comme je suis heureuse!» pensait Carmen qui n'osait prononcer les mots à voix haute, de peur de rompre le charme. Joël promenait le bout de son doigt sur l'épaule de Carmen qui, recroquevillée près de lui, n'osait bouger. Il la croyait endormie.

Il attendit que l'obscurité soit totale, puis délicatement, il la pressa dans ses bras et murmura: «J'ai faim.»

— Quelle élémentaire préoccupation, Monsieur, en des moments si attendrissants!
— Tu ne dormais pas, Carmen?
— Oh non! je savourais mon bonheur.
— Un bonheur que nous garderons toujours, que nous protégerons; ce sera notre bien le plus précieux, notre préoccupation première.
— Si nous allions au petit *Café*...
— Tu es merveilleuse, ma Carmen.
— C'est facile de l'être quand on est amoureuse.

Ils dînèrent, main dans la main, dans un grand restaurant du vieux Montréal, là où l'atmosphère était des plus joyeuses.

Le plus naturellement du monde, ce soir-là, ils se rendirent dans la grande maison d'Outremont où la jeune fille avait passé sa vie.

Ils élaboraient projet sur projet, planifiaient leur

vie, leur avenir, simplement étonnés de leur entente tacite, tant leur accord était harmonieux.

À travers leur relation amoureuse, ils apprirent à se bien connaître, à se confier l'un à l'autre, se découvrirent des affinités de goûts et de caractères.

La maturité dont Carmen faisait preuve fit fondre les inquiétudes de Joël en ce qui avait trait à leur différence d'âge: un jour une grande épreuve vint cimenter leur amour: voilà que le crime crapuleux dont les parents de Carmen avaient été victimes fut élucidé, le coupable arrêté. Carmen sut surmonter sa peine avec stoïcisme.

Chapitre 16

Des mains du notaire chargé de régler la succession de madame Octave Minerve, Carmen reçut le journal dans lequel elle avait, jour après jour, écrit ses mémoires. Avec force détails, elle racontait ce qu'avait été sa vie. C'est après le décès de son bien-aimé époux qu'elle entreprit cette tâche qui lui permettait de revivre ses souvenirs et rendait sa solitude plus acceptable. Plus de huit cents pages de texte, d'une écriture fine et serrée, livraient les différentes facettes de l'âme de madame Minerve.

Avec beaucoup de sincérité et de spontanéité, elle exprimait ses sentiments profonds. Parfois elle s'attardait à certains détails, soit qu'ils avaient pris à ses yeux une grande importance, soit que sa vie, en ces instants, s'avérait morne.

Carmen lut avec beaucoup d'émotion le long et palpitant récit. Avec Joël, elle partageait, tranche par tranche, les confidences de cette dame qui avait vécu une vie sentimentale intense car elle était très romantique.

À travers cette lecture, Carmen comprit à quel point leur brève mais sincère amitié avait eu d'importance pour cette personne esseulée dans les dernières années de sa longue vie. Tout lui était expliqué à travers le récit: le rôle qu'avait joué Lecourt, la place qu'elle lui avait faite dans son cœur, son désir de la voir, elle, Carmen, unie à Joël. Elle comprit aussi pourquoi le collier avait été expédié à cette adresse, déposé précisément à l'endroit où elle voulait que s'amorce pour eux cette romance fantaisiste. Un seul point demeura obscur et ne serait sans doute jamais éclairci: comment madame Minerve avait-elle appris que Joël était libre?

Certains passages des écrits de madame Minerve étaient empreints d'une grande tristesse. C'étaient ceux qui soulignaient la solitude devenue son lot après le décès de l'homme qu'elle avait adoré: «C'est ta faute, Octave, je reste accrochée à cette souvenance que j'ai de toi, de cette entente muette que nous nous vouions, de ce respect mutuel de nos sentiments sans équivoques, sans heurts, toujours gracieux.»

Carmen s'arrêta, demeura un long moment songeuse: «Seul un cœur éperdument amoureux saurait traduire par des mots aussi simples une passion si profonde!» Oui, elle vivrait, elle aussi, son beau roman avec sincérité; elle aimerait Joël, elle le chérirait toujours.

Un sourire illumina tout à coup son visage: «La chère dame ne cesse de jouer d'influence, voilà qu'elle m'inspire même mes sentiments intimes, ma façon d'aimer mon homme!» Et Carmen revenait à ce passé pourtant récent où leurs routes s'étaient croisées, dans des circonstances tragiques qui avaient changé à tous deux le cours de leur existence.

«C'est vous que je fuis», cet adieu griffonné à la hâte et qui l'avait tant troublée lui revenait à l'esprit. La fidélité qu'il témoignait alors à son épouse devenait un gage de la qualité de l'amour sincère dont il était capable.

Depuis Joël s'était montré discret, avait fait taire son animosité envers celle de qui il parlait rarement mais toujours en des termes très courtois. Il demeurait attaché à cette femme, son premier amour, la mère de ses enfants. Carmen appréciait sa force de caractère, son esprit de justice, la finesse de ses sentiments. Elle souhaitait que le temps ait raison des dernières réticences d'amertume qui subsistaient et qu'un jour elle aurait la grande joie de les voir tous réunis, ici sous ce même toit.

Carmen pensait à la jeune Chantale et au sort qui lui avait été réservé, mais elle n'osait pas aborder le sujet; elle avait au fond d'elle-même la certitude que Joël n'avait pas abandonné sa protégée. «Son cœur est grand et généreux, il y a place pour nous tous.»

Toute à son bonheur Carmen termina les contrats qui la liaient et abandonna son travail. «L'homme égoïste que je suis se réjouit, je t'aurai toute, à moi seul!» s'était-il exclamé lorsqu'elle lui fit part de sa décision.

Occasionnellement Joël s'absentait, il réorienterait sa vie professionnelle. Diane était revenue de Paris, s'était réconciliée avec sa mère sans, toutefois, accepter l'invitation d'aller vivre sous son toit. Des confidences qu'elle lui fit, Joël comprit que les liens qui unissaient Pauline et Maurice étaient forts, leur amour, sincère. Pour le bonheur de tous il se devait de couper les attaches qui le retenaient à Sherbrooke. À son épouse il légua ses actions de la compagnie, faisant d'elle l'unique propriétaire. «Si leur amour est aussi profond et sérieux que je le crois, ils réussiront à se bâtir un grand bonheur et leur sécurité sera assurée.»

Le geste généreux qu'il avait posé lui donnait l'impression de participer à asseoir leur vie amoureuse sur une base solide, ce qui lui procurait la paix de l'esprit dont il avait grand besoin. Ses enfants n'étaient pas étrangers à sa décision. À tout prix il éviterait les heurts qui ne manquent jamais de les traumatiser; ce sont eux qui subissent la brisure, plus fortement, plus intimement que les parents, car dans leur cœur, c'est l'image, le modèle de vie, la base même de leur confiance qui est ébranlée. «Diane, surtout ma Diane me l'a crié, me l'a fait comprendre!»

De Carmen il ferait sa femme. Dès que le rouage aurait pris une tournure normale, c'est dans la sienne, sa vie, qu'il mettrait de l'ordre. Sa compagne, il n'en doutait pas, serait à la hauteur de la situation, oui, en Carmen il avait confiance.

Il fit la location de bureaux dans un gratte-ciel du centre de la métropole. Il repartirait à zéro, toujours dans le même domaine, celui de l'architecture, dans lequel il excellait.

***

Aujourd'hui Joël n'était pas là, son absence se prolongerait de quelques jours.

Carmen en profiterait pour accomplir une tâche qui lui répugnait et qu'elle avait toujours remise à plus tard.

— Hortense, pouvez-vous me réserver votre après-midi?
— Volontiers, madame Carmen.
— Je ne veux pas être seule à affronter ce que j'ai à faire, je craindrais de ne pouvoir me rendre au bout...

La phrase resta en suspens, laissant Hortense pensive: «Il ne peut s'agir que d'une obligation qui concerne ses parents, ce qui ne manquera pas de soulever en elle une grande souffrance.»

Carmen décida de débuter par ce qui lui pesait le plus: la chambre de ses parents se devait d'être libérée de tout ce qu'ils possédaient d'objets personnels. Elle ouvrit d'abord les penderies, remettait à Hortense les toilettes de sa mère qui les plaçait sur le lit.

Chaque robe éveillait en elle des souvenirs. Quand elle en vint aux costumes de son père elle s'arrêta un instant, ferma les yeux; son cœur battait à se rompre.

Jusqu'à maintenant elle s'était exécutée en silence, s'efforçait de contenir son émotion. Elle se retourna vers Hortense et les yeux mouillés de larmes s'exclama: «Prenez tout, disposez de tout.»

Elle ouvrit les tiroirs des commodes, là où s'entassaient les objets personnels; avec des gestes presque pieux, elle fit le triage des choses qu'elle se devait de conserver dont les bijoux précieux. À Hortense elle offrit la cornaline si pleine de souvenirs.

Une grande lassitude envahit Carmen. Elle se laissa tomber sur un fauteuil.

– Je suis trop émotive! Ne trouvez-vous pas, Hortense?

– Vous êtes surtout très sensible, très délicate; ce ne sont pas là des défauts.

– La mort d'êtres chers est, je crois, l'épreuve la plus lourde à surmonter.

– Car elle est sans retour, pleine de mystères. Pourtant ceux qui vous quittent semblent avoir le pouvoir de survivre au niveau de notre pensée en s'imposant à nous de façon cuisante. Mille détails surgissent, mille mots autrefois prononcés nous reviennent; c'est sans doute leur manière de nous dire adieu.

Hortense pliait les vêtements, égarée, elle aussi, dans ses pensées. D'une voix hésitante elle demanda:

— Dites-moi, madame Carmen, avez-vous ressenti certains sentiments de culpabilité après leur départ?

— Plus que ça, Hortense, plus que de la culpabilité, j'ai perdu tout goût à la vie. Je n'avais qu'une idée en tête: le regret de ne pas les avoir accompagnés au garage. Si je m'étais trouvée auprès d'eux, ma vie se serait arrêtée en même temps que la leur. Je n'avais pas l'espoir de pouvoir trouver le courage de continuer de vivre sans eux.

— Ma pauvre enfant! Ma chère petite! Je suis idiote, je viens d'éveiller en vous de si tragiques souvenirs avec mes questions sottes.

Et Hortense, comme une mère, caressait Carmen, la serrait dans ses bras. Carmen ne pleurait pas, au contraire, elle se sentait allégée, réconfortée.

— Hortense, ce que je viens d'exprimer dormait, là, au fond de moi-même, dans mon inconscient, sans doute. Le fait de m'être ainsi épanchée me libère d'un grand poids. Vous seule, vous qui les avez connus et aimés, pouviez m'aider à libérer ainsi mon âme de cette grande nostalgie qui m'a si longtemps opprimée.

— Votre deuil a été long, long et pénible. Vous voilà amoureuse d'un homme bon et doux, vous connaîtrez une vie de bonheur; il ne faut jamais désespérer, ma fille. De là-haut, ceux qui vous ont tant aimée veillent sur vous. L'amour, madame Carmen, va bien au-delà de la mort, il reste en nous, nous rend meilleur, nous aide à analyser nos sentiments. L'épreuve est fortifiante.

— Pourquoi, plus tôt, parliez-vous de regrets?

— Au décès de ma mère, je ne me consolais pas à l'idée que je n'avais pu lui consacrer tout le temps voulu à l'aider, à l'assister dans ses derniers moments. J'étais aux prises avec une lourde tâche, mes enfants en bas âge me tenaient captive. Je devins dès lors une maman plus tendre, plus attentive aux besoins de mes petits.

— C'est inouï, Hortense, regardez-nous, nous sommes là, dans la chambre de mes parents, nous échangeons des confidences; jamais je n'aurais cru que je pourrais entrer ici sans frémir de crainte et de désespoir.

— C'est là le miracle de la vie, tout se régénère.

***

Carmen passa les jours suivants à mener à bien sa tâche entreprise. Un soir elle s'attarda aux écrits de madame Minerve. À sa grande surprise elle retrouva là certains passages où il était question d'elle, de Joël, de leur amitié d'alors.

***

Ce soir, j'ai remarqué la présence d'une jeune femme, réservée et gracieuse, avare de sourires. Je soupçonne qu'une grande tristesse se cache sous ce regard voilé. Que fait-elle en ces murs? Cherche-t-elle l'oubli? Un cœur brisé peut-être...

***

... J'ai revu cette dame, toujours aussi discrète, aussi mélancolique et seule. C'est à peine si elle daigne jeter un

regard sur son entourage. Elle s'attable, se concentre; je m'étonne de constater qu'elle semble avoir beaucoup de discipline personnelle face au jeu. Elle n'est pas d'un âge à se montrer aussi raisonnable. Elle est là, de longues heures sans broncher, dédaigne l'heure des repas. J'ai peur pour cette fille, pourtant... elle m'inspire confiance. Sa mise, élégante, de fort bon goût, indique clairement qu'elle est fortunée. Elle sait être conséquente dans sa façon de miser, voilà qui me rassure un peu.

***

... Elle était dans le foyer, calée dans un fauteuil, elle promenait son regard sur le décor, semblait étudier les lieux. Elle continue de m'intriguer. Est-ce que je m'attache à elle ou suis-je tout simplement sensible au fait que, comme moi, elle est seule?

***

... Un terrible drame; il s'est affaissé aux pieds de la jeune fille, celle-ci est demeurée stoïque, elle n'a pas bronché, n'a pas eu un mouvement de panique, tout au plus son visage dénotait une grande inquiétude, après tout ils se coudoyaient depuis plusieurs heures, elle lui avait même adressé la parole.

...toute la soirée, la chance l'a favorisée, elle n'a cependant pas changé sa manière de jouer. Son visage demeurait hermétiquement fermé, ne traduisait pas les émotions ressenties, seul son regard brillait un peu plus...

... J'ai invité cette dame à dîner. Il n'y a rien de plus révélateur qu'un repas en tête-à-tête, ce qui me permettra d'affirmer ou d'infirmer mon jugement en ce qui la concerne. Je ne suis plus très sûre de mes sentiments personnels, pour

m'être trompée si souvent, face à moi-même et à d'autres. Peut-être suis-je aussi impressionnée par cette jeune dame à cause justement de la bouffée de fraîcheur que jette sa présence en ces murs. Elle me plaît beaucoup, j'espère n'être pas déçue.

Je dois me pencher sur le menu de demain, la pensée de cette rencontre m'enchante.

***

Voilà! J'ai rencontré cette jeune fille dans l'intimité. Elle m'a ravie, au-delà de mes espérances. Je n'ai pas couché mes impressions sur papier après son départ car je voulais bénéficier de la détente que m'a procurée sa visite. Quel œil averti! Le style plutôt rococo de cette pièce ne lui a pas plu, je crois même qu'il a choqué son goût des belles choses. Ses manières à table sont impeccables, la déférence dans son comportement, la discrétion dans ses discours et son franc respect ne peuvent être faux ou empruntés; son éducation y est sans doute pour beaucoup, mais il y a plus. Ce parfait équilibre lui est permis grâce à l'amour reçu dans l'enfance et sa grande distinction est la résultante de la combinaison de ces deux éléments.

Je lui ai avoué avoir rêvé longtemps d'une enfant de son calibre. C'eût été le bonheur parfait. Mes confidences l'ont émue. J'ai fouillé son âme, j'ai sondé son cœur, sa réaction fut spontanée: elle ne cache rien de laid. Un instant, j'ai cru qu'elle allait s'épancher sur une question qui semble la préoccuper, son goût du jeu. Mais j'ai contourné le sujet, je n'aurais pu le faire sans me trahir et m'impliquer à outrance. Non, elle n'a pas cette faiblesse qui m'a tant fait souffrir. Ai-je été déloyale en ne lui faisant pas de mise en garde? Je ne le crois pas. Elle n'est là, j'en ai la certitude, que pour contrer un autre problème, un problème qui ressemble étrangement à celui qui m'a menée jusqu'ici: l'ennui. Elle est jeune et belle, elle aimera et sa grande passion se canalisera dans un amour merveilleux dont elle saura être digne. Dieu! Que j'envie cette belle jeunesse précisément pour en avoir goûté tout le charme!

Elle a été fiancée, a rompu la liaison. J'ai cru un instant qu'elle me parlerait de cette nouvelle rencontre faite ici; est-ce par discrétion qu'elle s'en est abstenue ou le fait est-il banal? Pourtant... je fabule, je ne manque jamais de fabuler quand il est question des sentiments du cœur, je suis d'une intraitable sentimentalité pour utiliser ton expression, mon cher Octave, lors de nos réceptions à la maison, alors que je me complaisais à réunir poètes et artistes dont l'âme romanesque me fascinait, me captivait. C'est un peu de cette atmosphère chatoyante que j'ai retrouvée ici, hier soir, ce qui m'a grisée.

...Ils sont loin ces jours merveilleux où le tintement des verres de cristal entrechoqués mêlait son écho aux voix des poètes qui rêvaient tout haut, le regard extasié, la figure illuminée, rimant l'amour, l'espoir, le paradis, l'éternité.

Ils sont loin ces jours où le grand hall illuminé de notre home *se faisait le témoin muet de regards échangés dans le but de concrétiser un rêve, de faire surgir une passion ou tout simplement d'établir un contact favorable, ce que les grands de ce monde ont l'art de n'accorder qu'avec parcimonie.*

Leurs préoccupations me paraissaient puériles, alors, sans envergure. Je les trouvais impatients, prisonniers de leur jeune âge, je voyais la vie d'en haut: mon émule étant mon mari, j'associais le succès aux tempes grises.

Mon point de mire avait la forme d'un cœur; à mes yeux, seul l'amour importait et valait qu'on se batte pour l'obtenir. Je rêvais de l'époque chevaleresque, me gavais de romans de cape et d'épée. Le beau, le faste, le noble, tout émanait du pouvoir d'aimer. L'amour étant éternel...

***

...notre petit salon se prêtait admirablement bien à la romance. C'est dans ses murs que je connus l'extase qui m'ouvrit les portes du septième ciel. Octave, tu avais insisté, tu voulais y emprisonner le souvenir de notre nuit nuptiale, «trop précieux pour être vécu dans un décor étranger et sans mémoire». Je t'accusai alors de pousser trop loin le sentimentalisme.

C'est là aussi que je pleurai ton grand départ, c'est là que je me suis réfugiée si souvent pour me laisser griser de ta présence qui semble encore imprégner la pièce...

***

...nous nous connaissons bien peu, pourtant elle a su détecter mes soucis et eut la gentillesse de me le dire, ce qui m'a beaucoup émue. Elle a un cœur compatissant, sûrement capable de beaucoup de tendresse.

Elle ne fait que croiser ma route; elle partira, elle aussi, laissant derrière elle une trace de lumière qui fait si chaud au cœur.

La vie nous fait parfois de ces cadeaux gratuits qu'il nous faut reconnaître. Est-ce que je m'humanise? Moi qui ai tant reçu, ai-je toujours su apprécier? N'eût été le drame de cette nuit-là, lui aurais-je adressé la parole comme je l'ai fait? Ne laisse-t-on pas trop souvent passer le bonheur sans savoir le saisir? Et plus tard, lorsqu'on le comprend, on se plaint.

Il y a bien longtemps que je n'ai pas sympathisé ainsi avec quelqu'un de mon entourage.

Si j'étais moins âgée, je prendrais cette fille sous ma tutelle.

Quel rêve idiot! Je ne pourrais jamais être pour elle autre chose qu'un poids à supporter. Surtout avec mon caractère de vieille têtue fanatique! Mais... et pourquoi pas? Si je faisais de Carmen mon héritière? Qui mieux que cette fille saurait mettre à profit ce manoir vers lequel je n'ose retourner, car j'y souffre trop à cause des souvenirs merveilleux qui hantent chaque pièce de la maison? Et pourquoi pas? Qu'il serait bon de réentendre les rires fuser dans ces murs! Cette pensée me fait du bien. Je dois y donner suite. Qui, plus que Carmen, jeune et jolie, pourrait porter avec élégance mon magnifique collier de perles, ce collier enfoui dans l'oubli comme le reste de ma vie? Dans quelles mains tombera-t-il quand Lecourt se sera rassasié de le caresser en souvenir de sa femme? Cette pensée me torture. Cette torture, je me la suis méritée pour n'avoir pas su freiner ma passion, ne pas avoir su accepter de vivre la vie solitaire qui guette les aînés. Mon cher Octave, je t'ai trahi, je suis gênée de m'adresser à toi depuis que j'ai fait cette bêtise. Dans le fond de mon cœur je n'ai cessé de te demander pardon, peut-être m'as-tu entendue? Mon âme s'inquiète!

***

...tu sais ce qu'elle m'a dit au Café, *ce soir-là? Écoute-moi ça: «J'envie votre enthousiasme face à la vie.» Tu imagines? À l'instant même où je souhaitais avoir un jeune estomac pour pouvoir m'empiffrer! Tu vois ce que c'est, l'illusion, le mirage?*

Ah! Si elle savait comme je la porte dans mon cœur! Dieu l'a mise sur ma route pour ensoleiller mes jours et donner un sens au reste de ma vie. Elle, si divinement jeune et belle, a su me rejoindre dans les heures de profonde tristesse que je vis.

Et malgré tout je n'ai pas su lui communiquer mes sentiments profonds. Est-ce un manque de générosité? De la fausse pudeur?

***

Elle est partie, Octave. Elle est retournée au Canada. Je me sens seule une fois de plus, une fois de trop. Viens, tends-moi la main afin que je fasse le bond qui me ramènera à toi. Je veux partir aussi! Elle m'a quittée et je ne lui ai rien dévoilé de mes intentions. Elle ignore que son amoureux est libre, il ne m'appartient pas de le lui apprendre.

***

Le livre ouvert glissa des genoux de Carmen sans qu'elle s'en rende compte. Dans son esprit se mêlaient les propos de l'agenda à ceux tenus plus tôt, là-haut, dans la chambre de ses parents. Le passé des êtres chers s'imposait, se mêlait à ce présent; le tout s'enchevêtrait, de façon mystérieuse, donnant à ses pensées une orientation nouvelle et bouleversante.

Carmen ressentait une émotion si vive, si cuisante qu'elle frissonna: pour la première fois, il lui venait à l'idée de quitter cette maison où elle avait fait ses premiers pas, vécu une enfance si heureuse et souffert la perte dramatique de ses parents. «Partir, ne serait-ce pas trahir mon passé? Tourner le dos à mes souvenirs? Mon deuil est si récent!»

Carmen se cala contre le dossier du fauteuil, y appuya la tête et ferma les yeux. Alors se produisit un phénomène étrange. D'abord elle entendit un léger bruissement qui lui donna l'impression d'une présence. Puis une odeur très douce, l'émanation d'un parfum léger, celui de sa mère, flottait dans la pièce. Elle leva la tête et dit tout haut:

– Maman...

L'illusion se dissipa aussitôt, un calme profond et enveloppant s'ensuivit.

— Maman, répéta Carmen.

Elle promenait son regard tout autour, encore sous l'emprise du charme. «Pourtant, je n'ai pas rêvé!» Elle ne ressentait ni crainte ni inquiétude, au contraire: elle se sentait dans un état de béatitude; une paix profonde et douce l'enveloppait tout entière.

«Maman est-ce toi? Te serais-tu manifestée pour me souligner ton approbation, pour m'indiquer clairement que je dois rompre les liens qui me rattachent au passé et m'inviter à tourner mes regards vers l'avenir? Cet avenir auprès de Joël, Joël que j'aime comme tu as aimé papa, dis, maman? Et toi, papa, pourquoi restes-tu sourd à mes suppliques? Est-ce ta façon de te montrer compréhensif alors que tout mon amour converge maintenant vers Joël? Je t'aime toujours, tu sais.»

Le carillon sonna les heures, Carmen secoua la tête, échappa à ce qu'il lui semblait maintenant un rêve, un rêve doux, léger, ouaté. «Pourtant, je n'ai pas rêvé! Tout était réel, j'ai eu le sentiment très vif d'une présence, et cette senteur?» Elle continua de se laisser imprégner par la douceur du moment.

Carmen se pencha et reprit l'agenda de madame Minerve qui se trouvait toujours à ses pieds. Elle jeta les yeux sur les passages étalés sur les pages ouvertes du cahier.

«J'ai tout orchestré, Octave; si cet homme aime vraiment cette fille, c'est dans le petit salon, notre petit salon, qu'ils échangeront leurs serments. Je passe des heures à imaginer le

scénario, je le veux tellement, je le veux si fort, je le veux si ardemment que, j'en suis sûre, le miracle se produira.

Je l'imagine, elle, tout de blanc vêtue, parée de nos perles, les perles Minerve. Lui à ses côtés avec son beau visage autoritaire, les tempes un peu dégarnies, comme tu l'étais, toi, à un âge mûri par les ans; je les vois, je les entends presque échanger des serments, extasiés l'un par l'autre. Ils se terreront dans notre manoir; des bambins et des bambines aux frimousses joufflues courront sur les parterres environnants, piétinant les fleurs, riant à gorge déployée, perpétuant la vie dans ce nid d'amour. Bon, bon, je sais, je ne suis qu'une vieille folle! Mais il ne me reste que ça, mes rêves!

Mes souvenirs et mes rêves, je les entrelace; d'eux je fais un ruban qui lie pour toi une gerbe de roses blanches que je t'offre, mon cher Octave.»

«Si cet homme aime vraiment cette fille... je l'imagine, elle, tout de blanc vêtue... Des bambins et des bambines aux frimousses joufflues courant...»

Carmen lisait et relisait. Les mots dansaient devant ses yeux, son cœur battait à se rompre. Comme elle souhaitait que Joël revienne, tout de suite! Comme elle désirait partager avec lui ces heures d'émotions cuisantes qui la bouleversaient jusqu'au plus profond d'elle-même!

Un sentiment de paix intérieure qu'elle n'avait plus ressenti depuis le décès de ses parents s'était glissé en elle. Le passé cessait d'être une entrave, le présent lui semblait merveilleux, l'avenir promettait d'être sans nuages.

Elle s'endormit, ce soir-là, l'âme exaltée, le cœur débordant d'amour.

Chapitre 17

Joël, qui séjournait chez sa fille Diane, l'avait priée de réunir ses enfants avec qui il désirait avoir une entrevue. Ils étaient déjà là lorsqu'il entra; il se fit un grand silence, un silence lourd qui manifestait bien leur étonnement, un certain embarras, et sûrement beaucoup de curiosité.

Il accepta la tasse de café que lui offrait Diane. La conversation lancinait, l'inquiétude de chacun était évidente. «Pourquoi, grand Dieu? pensait-il, serais-je devenu un étranger? Ce ne sont plus des petits enfants à qui il faudrait tout expliquer!»

Sa franchise habituelle, son esprit des décisions nettes, la fermeté de son caractère, la forte personnalité de cet homme autoritaire et foncièrement honnête se rebellait.

— Mes enfants, pour la première fois, nous voilà tous réunis, depuis les événements qui sont venus bouleverser notre vie. Je tiens à vous rassurer en ce qui a trait à la sécurité de votre mère.

Et il expliqua les mesures prises en ce sens. Il leur fit part de sa décision de professer dans la région de Montréal, ce à quoi il ajouta tendrement:

— Ne laissons jamais la distance se glisser entre nous.

Jusque-là, on l'avait écouté en silence; Joël les regarda, tour à tour, et d'une voix douce leur annonça son mariage éventuel avec Carmen. Diane sursauta, elle trépigna puis, articulant bien ses mots elle jeta:

— Je hais cette femme!

— Je ne vous demande pas de l'aimer, pas avant de l'avoir rencontrée, trancha Joël d'une voix douce mais ferme, qui n'invitait pas à la discussion.

Les yeux restaient rivés sur lui, espérant peut-être que leur père jetterait un peu de lumière sur cet aveu qui les médusait. Mais Joël n'ajouta rien. On aurait pu entendre voler une mouche. Sa fille aînée réagit la première.

— Papa a aussi droit au bonheur.

— Merci, ma grande, répliqua-t-il simplement.

Après un instant de réflexion il ajouta:

— J'espérerais de tout cœur que nous soyons tous réunis, ce jour-là; ce serait sans doute trop vous demander, ajouta-t-il d'une voix qui laissait percevoir le regret.

Il se leva, fit quelques pas, s'arrêta et se retournant vers eux ajouta:

— Soyez assurés que ma future épouse ne fera jamais obstacle aux liens qui nous unissent; Carmen a beaucoup d'esprit de famille.

Et l'homme se dirigea vers le téléphone et composa le numéro de celle qu'il aimait; il lui annonça son retour. Carmen, ignorante de la situation dans laquelle Joël se trouvait, laissait déborder le trop-plein de ses émotions intimes; elle lui tenait des propos décousus où le verbe aimer revenait sans cesse. Il l'écoutait, le sourire sur les lèvres; tant d'exaltation le charmait.

— Jamais tu ne m'as laissé entrevoir ce côté exubérant de ta personnalité, Carmen.

— Ne tarde surtout pas, chéri, j'ai tant de choses à te dire!

Il déposa le combiné. Lorsqu'il se retourna vers les siens il comprit, à leur silence et à leur expression, qu'inconsciemment, il avait laissé transparaître la profondeur de ses sentiments. Il rayonnait, son bonheur transpirait. Diane lui demanda, d'une voix très calme:

— Papa, désires-tu un autre café?

— Non, merci, Diane. Je veux rentrer avant l'heure d'affluence.

— Et... Chantale, papa. Tu y as pensé?

— Ne sois pas inquiète, ma fille. Je n'oublie pas Chantale.

— Excuse-moi, papa.

Joël lui fit une caresse, embrassa chacun de ses enfants. Son gendre retint un instant la main qui lui était offerte. Et Joël s'éloigna, conscient d'avoir agi sagement.

Dans sa tête résonnaient encore des mots qu'il avait prononcés spontanément mais qui avaient éveillé en lui une forte émotion: «Ma future épouse», avait-il dit. Il éprouvait une dualité de sentiments troubles, ses pensées allaient de son ex-épouse à sa future femme, puis à ses enfants. Il lui faudrait trouver la force de tout concilier, de les aimer, de les protéger. Le rôle de l'homme lui paraissait grand et lourd de conséquences. Jamais encore il n'avait connu de situations qui aient provoqué de telles réflexions. «Il me faudra être à la hauteur», pensa-t-il, profondément ému.

Cette rencontre l'avait longtemps préoccupé; souvent il l'avait imaginée en pensée; comme c'était difficile d'être à la fois conciliant et déterminé! La réaction de Diane surtout l'avait inquiété; spontanée et sincère, incapable de faux fuyants, elle était de ses deux filles celle qui lui ressemblait le plus.

«Je hais cette femme»; le cri s'était échappé de son cœur. Il lui semblait encore l'entendre et ses traits se crispaient au souvenir de l'expression de son visage qui exprimait sa souffrance profonde. Il ne lui restait plus qu'à espérer que le temps arrangeât les choses.

Dès ce soir il proposerait le mariage à Carmen; cette pensée le transportait de joie. Il secoua les épaules, s'adossa au fauteuil de la voiture, soupira: il allait vers cette fille qui l'avait admonesté, ce soir tragique où ils s'étaient rencontrés. «Diane aurait ainsi réagi», pensa-t-il avec un sourire.

Des lumières clignotantes attirèrent son attention, il ralentit. Bientôt il dut freiner puis immobiliser l'automobile, «un accident sans doute». Le contretemps l'impatientait, il lui tardait de rentrer.

***

Carmen chantonnait, ornait la maison de fleurs, ce qui créait une atmosphère de fête.

— Le bonheur vous rend radieuse, mademoiselle Carmen, rien ne pourrait me faire plus plaisir.
— Hortense, depuis hier une pensée m'obsède. Di-

tes-moi, serait-ce inconvenant de la part d'une femme de parler mariage avant que l'homme n'ait exprimé ses intentions sur le sujet?

Hortense s'éclata de rire.

— Pourquoi riez-vous?
— Venant de vous, la question est étonnante, tout à fait inattendue, vous si respectueuse des conventions!
— Pour une fois, il me plairait de faire une entorse au protocole! Mon cœur éclate, je veux lui donner libre cours.
— Alors?...
— S'il allait s'offusquer?
— Vous lui pardonneriez.
— S'il refusait?

Hortense pinça le bec, fit un effort pour garder un air sérieux. Carmen, la femme, lui rappelait tout à coup Carmen, la fillette, qui autrefois aimait se réfugier dans ses jupons, quand elle cherchait le réconfort. La dévouée gouvernante releva une mèche des cheveux de la jeune femme, la regarda dans les yeux et lui dit affectueusement: «Laissez parler votre cœur, il ne vous en aimera que davantage. Allez vous faire belle.»

Carmen consulta l'horloge, Joël ne tarderait plus. Elle embrassa Hortense et monta à sa chambre. Indécise devant le choix de sa toilette, elle regardait la robe bleue de nuit, hésita, puis opta pour celle qu'elle portait le soir où ils s'étaient connus, là-bas, au casino.

Hortense, ravie de partager l'intrigue amoureuse, s'affairait. Elle plaça des chandelles dans le candélabre d'argent qu'elle déposa sur la table du boudoir, tout à côté deux coupes de cristal et, sur un lit de glaçons, une bouteille de champagne.

Lorsque Carmen descendit, son cœur s'émut de la délicatesse de la gouvernante. Elle traça quelques mots sur un papier qu'elle plia et déposa dans l'une des flûtes. Avant qu'elle n'ait eu le temps de regretter son geste, le carillon de la porte d'entrée tinta et Joël parut, tenant à la main une gerbe de roses blanches.

«Chéri», s'exclama Carmen qui courut se blottir dans les bras de l'homme aimé. Les premières effusions passées, Joël prit le message qu'il avait remarqué au creux de la coupe. Carmen sentit son cœur battre très fort et ses joues s'empourprer: à la main elle tenait toujours la gerbe fleurie qu'il lui avait offerte.

Joël sourit, relut le billet qu'il caressa du doigt et le glissa dans la poche de son veston. Il fit sauter le bouchon de champagne, versa le nectar blond dans les verres tout en s'exclamant sur un ton badin:

– Voilà qui bouleverse mes projets, j'avais l'intention de faire cette demande à la femme que j'aime, et ce, le soir de l'ouverture officielle du casino de Montréal!

Sur le sol, des roses blanches, éparses...